LE VATICAN
ET LA ROME CHRÉTIENNE

CITTÀ DEL VATICANO

Avec approbation ecclésiastique

Lectori salutem! *Nous t'adressons ce salut dans l'antique langue de Rome, dans la langue qui est restée celle de l'Eglise catholique. Et nous te redisons: Salut à toi, lecteur. Qui que tu sois et d'où que tu viennes, pèlerin, touriste ou simple curieux, le Vatican et la Rome chrétienne t'accueillent et te souhaitent la bienvenue comme à un frère et à un ami.*

Du Vatican et de la Rome chrétienne, indissolublement unis dans la personne de Pierre et de son successeur, le Pape, chef visible de l'Eglise universelle et Evêque de la Ville éternelle, ce « guide » illustre non seulement l'histoire et l'art, mais aussi la mission. C'est une mission spirituelle qui représente l'explication ultime et profonde de deux millénaires et des œuvres d'art réalisées et rassemblées au cours des siècles. Elle continue à se dérouler et à se renouveler, pour le service de tous les hommes, et donc aussi du tien.

Puisses-tu saisir à travers ces pages, outre les signes éloquents et merveilleux du génie créateur de l'homme, la continuité et l'actualité d'un message toujours vivant, qui transcende l'espace et le temps, et qui a sa source dans l'absolu.

Afin de ne pas interrompre la lecture à l'excès, un certain nombre d'illustrations ont été placées en appendice.

Chapitre I

LE VATICAN CITÉ DE L'ÂME

Toute visite au Vatican avive on ne peut plus le désir de comprendre pleinement ce que l'on voit. Archéologues, historiens, poètes, artistes ont à l'envi exalté ses monuments et narré leur histoire. A vrai dire, quelque chose de bien plus significatif a pu échapper à l'analyse des plus érudits: une histoire présente et vivante, qui fait du Vatican la cité de l'âme. Qui ne percevrait, sous l'opulence des formes et l'harmonie des teintes, le rayonnement spirituel de son mystère, ne saurait donner de ce qu'il voit une explication adéquate. Mais, saisir cette réalité, c'est comprendre la raison profonde d'une telle richesse et de si hautes formes d'art. Les trésors du Vatican sont en fonction d'une idée supérieure.

Le visiteur qui franchit pour la première fois le seuil de cette cité universelle de l'esprit est saisi à chaque détour par l'irruption de multiples souvenirs. Entrer dans Saint-Pierre, visiter les musées, parcourir une loggia, traverser une cour, c'est s'enfoncer dans les méandres de l'histoire, remonter le cours des siècles, retrouver ce que fut jadis l'aspect de ces lieux qui bordaient la Voie Triomphale aux confins de Rome. L'*ager Vaticanus* (c'est ainsi qu'on appelait ce site), zone de collines arides et peu amènes, devint un haut lieu de la chrétienté par le martyre d'une « foule immense » de chrétiens (Tacite) de l'Eglise de Rome durant la persécution de Néron, entre l'an 64 et l'an 67 de notre ère. L'apôtre Pierre, premier Pape et premier évêque de Rome, trouva la mort durant cette persécution.

Son corps vénéré fut enseveli non loin du lieu de son martyre, et sur cette pauvre tombe s'éleva, trois siècles plus tard, la basilique constantinienne, magnifique église à cinq nefs. Vinrent les invasions: des Goths, des Vandales, des Sarrasins; mais la basilique resta debout malgré les dégâts et les pillages. Aux environs de l'an 1300, les foules des romées affluèrent au tombeau du Prince des apôtres, gravissant le plus souvent à genoux les trente-cinq marches de l'escalier monumental qui introduisait au portique, dit « Le Paradis », où plus de trente papes reposaient sous les dalles dans la paix de Dieu. *O Roma nobilis!* C'est l'hymne qu'entonnaient les pèlerins dès que la Ville apparaissait à leurs yeux. Et, parvenus au terme de leur longue marche, leur présence recueillie rendait hommage à la foi chrétienne, dans cette basilique où rois et empereurs ambitionnaient de recevoir la couronne des mains du Souverain Pontife, devant le tombeau de Pierre, l'humble pêcheur de Galilée. Au XVIe siècle, nouvelle basilique: pôle d'attraction où vient battre plus que jamais le flot incessant des pèlerins, des visiteurs, des touristes. Mais, pour quelles raisons?

L'Eglise et le Successeur de Pierre

Au Vatican réside le Pontife Romain, chef visible de l'Eglise fondée par Jésus-Christ. C'est le fait central autour duquel gravitent toutes les autres réalités.

L'Eglise est à la fois une communion spirituelle et la société de ceux qui ont reçu le baptême; qui ont une même foi au

Le Pérugin, Jésus remet les clés à saint Pierre (Chapelle Sixtine)

Christ; qui professent la même doctrine et la même adhésion à la parole de Dieu; qui reconnaissent sept sacrements et s'en approchent comme des sources de la grâce; qui acceptent le service pastoral des successeurs de Pierre et des apôtres. Cette Eglise est ouverte à tous: elle prie et elle œuvre pour hâter le jour où il n'y aura plus qu'un seul troupeau et un seul pasteur. Quatre notes essentielles la caractérisent: elle est *une,* vivant dans l'unité de la foi et du culte rendu à Dieu, de la célébration eucharistique, de la vie sacramentelle, et unie au Pontife Romain; elle est *sainte,* par son Fondateur, par l'assistance de l'Esprit-Saint, par sa doctrine évangélique, par le grand nombre de ses membres, les *saints,* qui ont pratiqué la vertu à un degré héroïque, et parce qu'elle appelle à la sainteté tous ceux qui lui appartiennent; elle est *catholique,* instituée non en faveur d'un seul peuple ou d'une nation en particulier, mais pour l'humanité tout entière, car tous les hommes sont appelés à devenir peuple de Dieu; elle est *apostolique,* parce que fondée sur les apôtres, avec saint Pierre pour chef, et régie par leurs successeurs, le Pape et les évêques unis au Pape.

L'Eglise est la continuatrice de l'œuvre de rédemption voulue par Dieu, Père, Fils, et Saint-Esprit, et accomplie par Jésus-Christ, Fils de Dieu fait homme, grâce à la maternité virginale de Marie. C'est pour l'achèvement de cette mission rédemptrice que Jésus a confié aux évêques et aux prêtres des pouvoirs spirituels, au service de leurs frères. Ce sont les pouvoirs d'enseignement, de gouvernement, de dispensation des sacrements: mission divine de vérité et de charité au profit de tous les hommes et de toutes les nations. Fidèle aux enseignements de l'Evangile, l'Eglise apporte un message d'égalité et de fraternité, de justice et de paix, de promotion humaine intégrale, à la fois personnelle et collective.

Le Pape est le garant de l'unité de foi par ses enseignements, qu'il donne dans des discours, des messages, des encycliques, des lettres apostoliques et, parfois, sous forme de définitions doctrinales infaillibles. Il a de même la plénitude du pouvoir législatif, qu'il exerce par des constitutions apostoliques, des « motu proprio », ou autres; et il détient la plénitude du pouvoir judiciaire et administratif sur toute l'Eglise.

Pontife Romain, Pape, Souverain Pontife, Vicaire de Jésus-Christ, Saint-Père, Sa Sainteté, Serviteur des serviteurs de Dieu, tels sont les titres par lesquels on désigne le successeur de saint Pierre. Le mot « Pape » vient de « Papa », qui signifie « Père ».

Le Pape et les évêques

A l'intérieur même de l'Eglise catholique romaine, on distingue l'Eglise latine et les Eglises orientales, composant de nombreuses Eglises locales sous la conduite de leurs évêques respectifs. Le Pape, chef du Collège épiscopal, gouverne l'Eglise en union avec les évêques (plus de 3000 en 1973) répartis dans le monde entier, et qu'il peut convoquer, sous sa présidence, en **Concile Œcuménique,** pour délibérer avec eux sur des questions importantes concernant la vie de toute l'Eglise. Le dernier des 21 Conciles œcuméniques réunis au cours de vingt siècles d'histoire, a été le deuxième Concile du Vatican, ainsi appelé parce qu'il se déroula dans la basilique Saint-Pierre au Vatican, comme le précédent en 1869-1870, qui est appelé pour la même raison 1er Concile du

Vatican. Le deuxième Concile du Vatican fut convoqué en 1962 par le Pape Jean XXIII, et clos solennellement trois ans plus tard par le Pape Paul VI.

En 1965, pendant la dernière session de Vatican II, Paul VI institua une nouvelle forme de collaboration organique entre le Pape et les évêques: le **Synode épiscopal,** présidé par le Souverain Pontife. Sa fonction est consultative. Il s'est déjà réuni plu-

Une séance de travail au cours d'une session du Concile Œcuménique Vatican II

sieurs fois, pour traiter collégialement de sujets touchant l'Eglise universelle. Ces sujets sont désignés par le Pape, parfois sur proposition de l'épiscopat. Le secrétariat général du Synode des évêques a son siège N. 3, place Pie XII, adjacente à la place Saint-Pierre.

Depuis 1967, des évêques diocésains sont membres de la Curie romaine au même titre que les cardinaux.

Le Collège des cardinaux

Dans l'exercice de sa mission de Pasteur suprême de l'Eglise universelle, le Pape est secondé directement par les cardinaux et par les dicastères de la Curie romaine.

Les cardinaux sont les premiers conseillers et les électeurs du Souverain Pontife. Depuis 1179, l'élection du Pape leur est réservée. Dans ce but, ils se réunissent en **Conclave** (réunion à huis clos, fermée à clef). Par disposition de Paul VI, le droit d'entrer en Conclave cesse à l'âge de quatre-vingts ans révolus.

Depuis 1586, un peu moins de quatre siècles, le nombre des cardinaux est resté fixé à soixante-dix, mais l'expansion continuelle de l'Eglise a déterminé Jean XXIII et Paul VI à augmenter ce nombre et à le rendre de plus en plus représentatif.

Selon une tradition séculaire, le **Consistoire** est la réunion des cardinaux, convoquée à l'occasion de quelque acte solennel du chef de l'Eglise (approbation des nouveaux saints et bienheureux, annonce de la nomination de nouveaux évêques ou de nouveaux cardinaux, etc.). En outre, le Pape a coutume de recevoir les cardinaux en quelques autres circonstances. A l'occasion des vœux de Noël ou de sa fête, le Saint-Père adresse habituellement au Sacré Collège un grand discours sur les conditions de l'Eglise dans le monde et sur les problèmes les plus graves qui intéressent l'humanité au point de vue religieux et social.

Selon une antique tradition, on distingue trois ordres de cardinaux: les cardinaux évêques, les cardinaux prêtres et les cardinaux diacres. Mais depuis 1962, par décision de Jean XXIII, ceux qui ont été désignés pour la dignité cardinalice doivent recevoir l'ordination épiscopale s'ils ne sont pas déjà évêques.

Seul un petit nombre de cardinaux habitent à l'intérieur du Vatican. Le cardinal secrétaire d'Etat, qui est le plus proche collaborateur du Pape et le plus important, réside d'office dans le Palais pontifical.

Tous les cardinaux appartiennent à quelque dicastère de la Curie romaine en qualité de préfets ou de membres.

La Curie romaine

La Curie romaine est un ensemble organique de dicastères qui sont au service du Pape dans sa charge de Pasteur suprême de l'Eglise universelle. On désigne aussi cette fonction en utilisant le nom de Saint-Siège ou de Siège apostolique, qui s'applique aussi à la Curie.

Par la constitution apostolique *Regimini Ecclesiae Universae*, du 15 août 1967, Paul VI a donné une nouvelle configuration à la Curie romaine.

Les chefs des dicastères, les cardinaux et les évêques membres, les secrétaires et les consulteurs sont nommés par le Pape pour cinq ans, au terme desquels leur mandat peut être renouvelé.

Des rapports plus étroits ont été établis entre les dicastères

Entrée de la Secrétairerie d'Etat et du Conseil pour les Affaires publiques de l'Eglise

de la Curie romaine d'une part, et les évêques ou les Conférences épiscopales nationales d'autre part.

Par sa nouvelle organisation et par le choix de ses membres, la Curie romaine a pris un aspect plus international.

1. Dans la susdite constitution de 1967, deux organes: la **Secrétairerie d'Etat** et le **Conseil pour les Affaires publiques de l'Eglise,** apparaissent au service plus immédiat du Souverain Pontife. Pour cette raison ils sont situés l'un et l'autre à proximité de l'appartement du Pape, sur la troisième loggia du Palais apostolique, au-dessus de la cour Saint-Damase.

La Secrétairerie d'Etat est l'organe central qui exécute les dispositions prises par le chef de l'Eglise; elle est présidée par le cardinal secrétaire d'Etat, aidé du substitut de la Secrétairerie d'Etat. Elle entretient des rapports avec les dicastères de la Curie, avec l'Episcopat, avec les représentants du Saint-Siège dans les divers pays du monde, avec les gouvernements et leurs représentants, avec les personnes privées. Le cardinal secrétaire d'Etat réunit périodiquement sous sa présidence les cardinaux chefs de dicastères.

A côté de la Secrétairerie d'Etat siègent la direction et la rédaction des *Acta Apostolicae Sedis* (bulletin officiel du Saint-Siège) et de l'*Annuaire pontifical.* La Secrétairerie d'Etat publie aussi chaque année le livre *L'activité du Saint-Siège.*

Le Conseil pour les Affaires publiques de l'Eglise est devenu plus autonome à l'égard de la Secrétairerie d'Etat, dont il faisait partie précédemment au titre de Première Section et sous le nom de *Congrégation pour les Affaires ecclésiastiques extraordinaires.* Le cardinal secrétaire d'Etat en est le préfet, et garantit ainsi dans sa personne l'unité d'action des deux organismes. Le Conseil pour les Affaires publiques, qui a son propre secrétaire, s'occupe de tout ce qui touche aux pourparlers avec les Etats, aux rapports diplomatiques avec les nations, et agit d'entente avec la Secrétairerie d'Etat pour tout ce qui regarde les représentations pontificales.

Dans le domaine du droit international, le Saint-Siège possède le privilège de la souveraineté, distincte de la souveraineté territoriale sur la Cité du Vatican, qui est un Etat. Le Siège apostо-

Palais des Congregations de la Curie romaine (Place Pie XII)

lique, en effet, représente dans le monde entier l'Eglise catholique, indépendante par sa nature de tout pouvoir terrestre. En tant que société souveraine, l'Eglise jouit, de temps immémorial, du droit de légation actif et passif; elle envoie ses représentants hors de Rome, et reçoit ceux des autres Etats. Ces relations diplomatiques ont pris de nos jours un grand développement.

A la fin de 1973, les représentations du Saint-Siège ayant un caractère diplomatique (nonciatures apostoliques, dirigées par des nonces ou des pro-nonces), étaient au nombre de soixante dix-huit, et celles qui n'ont pas ce caractère: les délégations apostoliques, au nombre de quinze. Le personnel diplomatique du Saint-Siège reçoit sa formation dans une institution spéciale très ancienne, l'**Académie ecclésiastique pontificale.** Le Corps diplomatique près le Saint-Siège compte, toujours à la fin de 1973, quatre vingt-deux missions diplomatiques, ambassades ou légations. Les représentants des Etats jouissent de l'immunité diplomatique et résident normalement dans la ville de Rome, l'exiguïté territoriale de l'Etat du Vatican ne permettant pas de les accueillir dans son enceinte.

Les tâches confiées actuellement aux représentants du Saint-Siège ont été définies par le « motu proprio » de Paul VI, *Sollicitudo omnium Ecclesiarum,* du 24 juin 1969, qui attribue au représentant du Saint-Siège, généralement revêtu du caractère épiscopal, des fonctions proprement ecclésiales au service des Eglises locales, comme trait d'union entre ces Eglises et le Souverain Pontife. A cette fonction primordiale s'ajoute celle de représentant du Saint-Siège auprès des Etats et des gouvernements dans les nations où ils sont accrédités, afin de servir la cause de la paix et du progrès des peuples.

Le Saint-Siège, sensible aux problèmes de la paix, du désarmement, de la sécurité internationale, du développement des peuples, comme aux problèmes sociaux, culturels et scientifiques du monde moderne, a aussi des représentants permanents auprès des organisations internationales gouvernementales (ONU et quelques-unes de ses agences spécialisées, telles que l'UNESCO, la FAO, l'ONUDI, l'OMS et l'OIT, etc.) et non gouvernementales (comme le Comité international de Sciences historiques, le Comité international de Paléographie, le Comité international pour la Neutralité de la Médecine, etc.).

2. Les *Congrégations romaines* ne sont autre que les ministères du Pape. Le terme traditionnel qui les désigne signifie la réunion des cardinaux et des évêques membres de ces dicastères. On compte actuellement dix Congrégations romaines. Avec la constitution *Regimini Ecclesiae Universae,* plusieurs ont changé leur ancien nom contre un nouveau qui répond mieux à leur compétence ou exprime plus clairement la fonction qu'elles remplissent. De nouvelles exigences, notamment de caractère pastoral, ont imposé également des modifications dans leurs structures.

Palais du Saint-Office,
siège de la Congrégation pour la Doctrine
de la Foi

La Congrégation du Saint-Office, instituée en 1542, a été réformée la première, par le « motu proprio » *Integrae servandae,* du 7 décembre 1965. Conformément au principe que « on pourvoit mieux, actuellement, à la défense de la foi en promouvant la doctrine », ce dicastère a pris le nom de **Congrégation pour la Doctrine de la Foi.** Sa compétence s'étend à toutes les questions qui concernent la foi et la morale ou qui leur sont connexes. Ses consulteurs sont choisis parmi les théologiens catholiques du monde entier. Le 11 avril 1969 a été instituée auprès de la Congrégation pour la Doctrine de la Foi une **Commission théologique internationale** formée de théologiens représentant des écoles et des nations diverses. Elle se réunit au moins une fois par an.

A la même Congrégation est annexée la **Commission biblique pontificale,** réorganisée par Paul VI en 1971.

Les bureaux de la Congrégation pour la Doctrine de la Foi sont situés au palais du Saint-Office, sur la place de même nom, près de la colonnade de Saint-Pierre. La plupart des autres Congrégations ont leurs bureaux dans les deux édifices situés de part et d'autre de la place Pie XII, juste avant la place Saint-Pierre.

La **Congrégation pour les Evêques** remplace l'ancienne Congrégation Consistoriale, instituée en 1588. Sa compétence s'étend à toutes les Eglises locales et à leurs pasteurs, dans tous les pays qui ne sont pas sous la juridiction des Congrégations pour les Eglises orientales ou pour l'Evangélisation des Peuples. Cette Congrégation est au service des évêques; elle s'occupe de l'institution et des modifications territoriales des diocèses, prépare la nomination des évêques, s'intéresse à leurs activités pastorales et à l'état des diocèses, suit le déroulement des conciles provinciaux (c'est-à-dire des provinces ecclésiastiques, formées de plusieurs diocèses d'une même nation) et les travaux des Conférences épiscopales nationales, dont elle examine les actes; enfin elle prévoit les affaires qui doivent être traitées en Consistoire. Deux **Commissions pontificales** sont rattachées à la même Congrégation: la **Commission pontificale pour l'Amérique latine** et la **Commission pontificale pour la Pastorale des Migrations et du Tourisme** (touristes, nomades, gens de mer, etc.).

La **Congrégation pour les Eglises orientales** date de 1862. D'abord unie à la Congrégation *De Propaganda Fide,* elle devint autonome en 1917. Actuellement elle exerce sur les diocèses, sur les évêques, sur le clergé, sur les religieux et sur les fidèles de rite oriental, les mêmes facultés que les Congrégations pour les Evêques, pour le Clergé, pour les Religieux et les Instituts séculiers, pour l'Education catholique ont sur les mêmes catégories de personnes du rite latin. Sa compétence est exclusive pour certains pays d'Afrique ou du Proche-Orient. Ses bureaux sont situés Palazzo dei Convertendi, via della Conciliazione, 34.

La **Congrégation pour la Discipline des Sacrements** fut instituée en 1908. Sa compétence embrasse tout ce qui touche à la discipline des sept sacrements (baptême, confirmation, eucharistie, pénitence ou confession, ordre, mariage, onction des malades), restant sauves les prérogatives des autres dicastères sur la doctrine, les rites, les causes matrimoniales.

La **Congrégation pour le Clergé** dérive de celle qui avait été instituée en 1564 pour veiller à l'exacte interprétation et à la fidèle observance des normes établies par le Concile de Trente. D'où son premier nom de *Congrégation du Concile,* qui lui est resté jusqu'en 1967, bien qu'eût cessé depuis longtemps sa compétence dans ce domaine. La Congrégation pour le Clergé suscite des initiatives pour la sanctification et l'aggiornamento pastoral des prêtres, qu'elle suit dans leur mission; et elle s'emploie à une meilleure répartition du clergé dans les divers pays du monde. Elle veille à tout ce qui concerne l'annonce de la parole de Dieu et les activités catéchétiques. Elle est compétente également en matière de conservation et d'administration des biens temporels de l'Eglise, y compris le patrimoine artistique.

La **Congrégation pour les Religieux et les Instituts séculiers** (appelée *Congrégation des Réguliers* en 1586, et *des Religieux* de 1908 à 1967) a compétence pour tout ce qui concerne la « vie religieuse » (profession des conseils évangéliques par les vœux de pauvreté, chasteté, obéissance et vie commune dans les ordres et congrégations d'hommes et de femmes), et les instituts séculiers, qui sont une forme récente de consécration, par la pratique des conseils évangéliques, de personnes qui vivent en plein monde.

Palais de la Propagande, place d'Espagne, siège de la Congrégation pour l'Evangélisation des Peuples, appelée aussi « De Propaganda Fide »

La **Congrégation pour l'Evangélisation des Peuples** qui a conservé aussi son nom historique *De Propaganda Fide,* a son siège au palais du même nom, sur la place d'Espagne. Instituée en 1622 dans le but de propager la foi dans les pays de mission, elle déploya alors une grande activité, spécialement dans les territoires récemment découverts et dans les pays d'Europe soustraits à la foi catholique. Elle s'occupe maintenant de la vie de l'Eglise sous des aspects multiples dans certaines régions de l'Europe et des deux Amériques, dans presque toute l'Afrique, en Extrême-Orient, en Nouvelle-Zélande et en Océanie, à l'exception des Philippines.

La **Congrégation pour le Culte divin** et la **Congrégation pour les Causes des Saints** sont dérivées de l'ancienne *Congrégation des Rites* (constitution apostolique *Sacra Rituum Congregatio,* du 8 mai 1969). La première a compétence sur toutes les ques-

Palais de la Chancellerie, Corso Vittorio Emanuele, siège des tribunaux de la Signature Apostolique et de la Rote

tions concernant le culte divin, liturgique et paraliturgique, dans les Eglises de rite latin. La seconde s'occupe des procès de béatification et de canonisation des membres de l'Eglise qui, ayant pratiqué à un degré héroïque les vertus chrétiennes (foi, espérance, charité; prudence, justice, force et tempérance, etc.), sont proclamés bienheureux ou saints, et sont proposés à la vénération et à l'imitation des fidèles.

La **Congrégation pour l'Education catholique** est l'ancienne *Congrégation des Séminaires et Universités.* Sa compétence s'étend aux séminaires (pour les jeunes aspirants au sacerdoce dans le clergé diocésain), aux maisons de formation des instituts religieux ou séculiers pour ce qui regarde la préparation culturelle des élèves; aux universités, facultés, instituts, écoles supérieures d'études ecclésiastiques ou profanes dépendant des autorités ecclésiastiques; à toutes les écoles et institutions d'éducation pré-universitaires, de tout ordre et de tout degré, dépendant des autorités ecclésiastiques et ayant pour but la formation de la jeunesse.

3. La Curie romaine comprend aussi trois tribunaux:

La **Pénitencerie Apostolique,** compétente au for interne (questions de conscience), même non sacramentel (c'est-à-dire en dehors du sacrement de pénitence), et en matière de discipline des indulgences (remise de la peine temporelle due au péché déjà pardonné).

Le **Tribunal de la Signature Apostolique** est l'organe suprême pour la solution des controverses judiciaires en milieu ecclésiastique, et l'organe de protection de la loi dans l'ordre administratif.

La **Rote Romaine** est essentiellement un tribunal d'appel (mais qui peut parfois jouer le rôle de tribunal de première instance), surtout pour les causes de nullité de mariage, qui ont pour

Palais de la place Saint-Calixte, au Transtévère, siège de divers Secrétariats et d'autres services de la Curie romaine

but de vérifier l'invalidité originelle d'un mariage religieux apparemment valide.

La Signature Apostolique et le Tribunal de la Rote ont leur siège au palais de la Chancellerie Apostolique, piazza della Cancelleria, 1.

4. Le deuxième Concile du Vatican a entraîné le renouvellement de la Curie romaine, et montré la nécessité de nouveaux organismes.

Le **Secrétariat pour l'Unité des Chrétiens** (via dell'Erba, 1) exprime et met en acte l'engagement œcuménique du Saint-Siège pour la recomposition de l'unité de tous ceux qui croient en Jésus-Christ. Il est compétent aussi pour les relations religieuses avec les Juifs.

Le **Secrétariat pour les non-Chrétiens** se propose d'intensifier le dialogue avec les religions non-chrétiennes (musulmane, bouddhiste, hindoue, etc.), toutes dépositaires de hautes valeurs spirituelles et morales, et de favoriser la solidarité humaine en esprit de fraternité universelle.

Le **Secrétariat pour les non-Croyants** a pour but l'étude de l'athéisme sous toutes ses formes, et l'instauration d'un dialogue avec les incroyants sincères qui ne s'y refusent pas.

Le **Conseil des Laïcs** et la **Commission pontificale « Justice et Paix »** ont été institués le 6 janvier 1967. Leurs membres sont des laïcs pour la plupart. Le Conseil s'occupe de la fonction du laïcat au sein de l'Eglise, de la collaboration des fidèles avec la hiérarchie et des divers mouvements d'apostolat des laïcs. La Commission a pour but de promouvoir le progrès dans les pays pauvres et de favoriser la paix et la justice sociale dans les rapports entre les nations. Divers comités d'études se répartissent les activités de cette Commission.

Les quatre derniers organismes que nous venons de citer ont leur siège à Rome, piazza San Calisto, dans le quartier du Transtévère.

5. Certaines **Commissions pontificales** secondent le Pape dans sa mission de chef de l'Eglise universelle. Ce sont: la **Commission pontificale pour les Communications sociales** (presse, radio, télévision, cinéma), la **Commission pour la Révision du Code de Droit canonique, pour la Révision du Code de Droit canonique oriental, pour l'Interprétation des Décrets du Concile Vatican II,** etc.

Le **Conseil Pontifical « Cor Unum »,** institué en 1971 par Paul VI, a pour but de coordonner les activités caritatives de l'Eglise et de contribuer ainsi efficacement à la promotion humaine et au développement social des peuples dans le besoin.

Le **Comité pour la Famille,** institué par Paul VI en 1973, a la charge d'étudier, dans une perspective pastorale, les problèmes spirituels, moraux et sociaux de la famille.

Le **Service d'Assistance du Saint-Père**, dirigé par l'Aumônier de Sa Sainteté, se consacre aux multiples œuvres de bienfaisance et au secours des pauvres qui s'adressent à la charité du Pape.

6. La Curie romaine comprend en outre quelques bureaux:

La **Chambre Apostolique** (palais San Carlo, Cité du Vatican) administre les biens et veille aux droits temporels du Saint-Siège durant sa vacance entre la mort du Pape et l'élection de son successeur.

La **Préfecture des Affaires économiques du Saint-Siège** (palais des Congrégations, largo del Colonnato 3, Rome) a été instituée par Paul VI en 1967, par la constitution apostolique *Regimini Ecclesiae Universae*, pour coordonner toutes les administrations des biens du Saint-Siège et veiller sur elles.

L'**Administration du Patrimoine du Siège Apostolique** (qui a son siège dans le Palais apostolique du Vatican) administre la plupart des biens immobiliers et financiers dont le Saint-Siège a besoin pour l'exercice du gouvernement central de l'Eglise et pour sa mission dans le monde.

La **Préfecture de la Maison du Pape** cumule les attributions réparties autrefois entre la Congrégation pour le Cérémonial, le Majordome et le Maître de Chambre de Sa Sainteté. Elle veille à l'ordre interne de la résidence papale, organise les audiences et les cérémonies pontificales à l'exception de la partie strictement liturgique, prépare les déplacements du Pape dans Rome, et collabore avec la Secrétairerie d'Etat pour les voyages du Souverain Pontife.

Le **Bureau pour les Cérémonies pontificales**, conformément au règlement approuvé par Paul VI le 1er janvier 1970, organise le déroulement de toutes les cérémonies liturgiques présidées par le Pape.

Le **Bureau central de Statistique de l'Eglise**, annexé pour le moment à la Secrétairerie d'Etat, a pour fonction de recueillir et d'ordonner systématiquement les données nécessaires ou utiles pour mieux connaître la situation de l'Eglise et pour subvenir aux besoins des pasteurs dans leur action pastorale.

Le Vatican, centre de Culture, de Science et d'Art

En 1960, tout le territoire du Vatican a été inscrit au « Registre international des biens culturels sous protection spéciale en cas de conflit armé ». C'était reconnaître qu'il y a là une situation vraiment unique au monde: tout l'ensemble du Vatican, et non pas seulement quelque partie ou certains chefs-d'œuvre, témoigne des plus hautes valeurs de l'esprit et est à leur service.

Une commission de tutelle permanente veille sur les richesses historiques et artistiques du Saint-Siège.

La **Bibliothèque Apostolique Vaticane** est célèbre pour sa collection de codes et de manuscrits du plus haut intérêt historique et culturel. Projetée par le pape Nicolas V (1447-1455), la Bibliothèque vaticane ne fut réalisée qu'après sa mort, en 1475. Elle possède actuellement environ 60.000 volumes manuscrits, 100.000 autographes séparés, 700.000 imprimés et 100.000 gravures et cartes géographiques. A la Bibliothèque sont agrégés le **cabinet numismatique** (ou médaillier), qui possède la plus riche collection de monnaies papales et l'une des plus importantes de monnaies romaines du temps de la République, et le **cabinet des estampes et dessins.** Pie XI y annexa une école de bibliothéconomie.

Vers l'an 1600 se fit jour l'idée de constituer des archives centrales du Saint-Siège; la réalisation commença sous Paul V, de 1611 à 1614. Les premières archives furent constituées principalement par les registres des bulles pontificales conservées depuis le XIIIème siècle. Les actuelles **Archives Secrètes Vaticanes** qui en dérivent ont recueilli au cours des siècles d'autres archives des organismes du Saint-Siège et de diverses nonciatures. En 1881, par concession de Léon XIII (1878-1903), les Archives furent ouvertes à la consultation publique et devinrent dès lors un centre mondial de la recherche historique. Comme la Bibliothèque, les Archives ont une école d'archivistique. Il existe également au Vatican une école de paléographie et de diplomatique.

Dans le domaine des sciences expérimentales et mathématiques le Vatican possède une institution de prestige mondial: l'**Académie pontificale des Sciences,** fondée en 1936 par Pie XI (1922-1939), mais qui remonte à l'ancienne Académie des « Lincei », fondée à Rome en 1603. L'Académie des Sciences est composée de soixante-dix académiciens, nommés par le Souverain Pontife et choisis parmi les savants les plus renommés du monde entier. Son but est d'honorer la science, d'en assurer la liberté et de favoriser les recherches qui constituent la base indispensable du progrès des sciences appliquées. L'Académie siège à la *casina* de Pie IV, dans les jardins du Vatican.

Un observatoire astronomique, appelé d'abord *Observatoire Astronomique Pontifical,* et, à partir de 1797, **Observatoire pontifical du Vatican,** était placé autrefois dans la tour des Vents, construite entre 1578 et 1580 par Grégoire XIII (1572-1585). A cet Observatoire se rattache la réforme du calendrier accomplie par ce Pape en 1582. Les réunions des astronomes se tenaient dans la tour. Plus tard, l'Observatoire fut installé dans la Palazzina de Léon XIII et, sous Pie XI, il fut transporté à la villa pontificale de Castelgandolfo. A cette occasion, l'Observatoire fut doté d'instruments modernes. Un laboratoire d'astrophysique en compléta l'équipement. L'Observatoire suit un programme systématique d'observation et de recherche en liaison avec les autres observatoires astronomiques du monde.

Nous parlerons en détail des Musées et des monuments dans les chapitres suivants. Rappelons, en attendant, que la basilique Saint-Pierre est confiée à une administration spéciale, la **Fabrique**

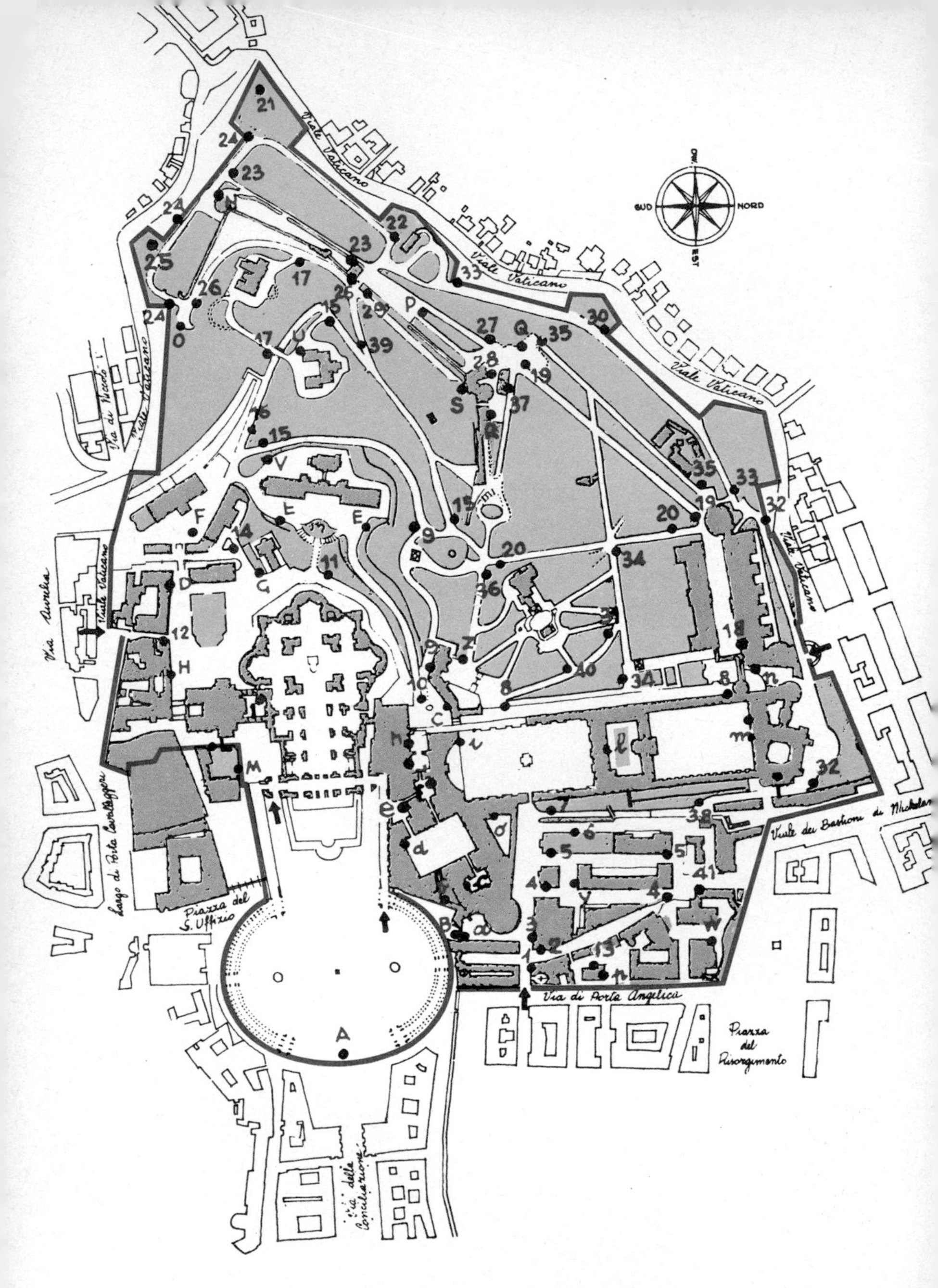

Plan de l'Etat de la Cité du Vatican

1 Via S. Anna
2 Via del Pellegrino
3 Via del Belvedere
4 Via della Tipografia
5 Via della Posta
6 Via S. Pio X
7 Salita ai Giardini
8 Stradone ai Giardini
9 Rampa dell'Archeologia
10 Via del Governatorato
11 Via delle Fondamenta
12 Vicolo del Perugino
13 Via S. Egidio
14 Via del Mosaico
15 Viale dell'Osservatorio
16 Via del Collegio Etiopico
17 Viale Guglielmo Marconi
18 Viale della Zitella
19 Viale del Bosco
20 Viale del Giardino Quadrato
21 Bastione dell'Eliporto
22 Viale degli Ulivi
23 Via Nostra Signora di Guadalupe
24 Viale Pio XII
25 Bastioni di S. Giovanni
26 Via Pio XI
27 Viale Benedeto XV
28 Vico S. Venerio
29 Viale della Radio
30 Bastione di Maestro
31 Viale Pio IX
32 Viale dello Sport
33 Viale S. Benedetto
34 Viale Leone XIII
35 Viale S. Marco
36 Viale dell'Aquilone
37 Viale Gregorio XVI
38 Viale della Galea
39 Viale della Grotta di Lourdes
40 Viale dell'Accademia delle Scienze
41 Via S. Luca

A Piazza S. Pietro
B Largo S. Martino
C Piazza del Forno
D Largo Pier Luigi da Palestrina
E Piazza del Governatorato
F Piazzale della Stazione
G Largo S. Stefano degli Abissini
H Piazza S. Marta
I Largo Braschi
L Largo della Sagrestia
M Piazza dei Protomartiri Romani
N Largo Giovanni XXIII
O Largo Capanna Cinese
P Piazzale della Grotta di Lourdes
Q Largo Madonna della Guardia
R Piazzale S. Chiara
S Largo della Radio
T Piazzale della Galea
U Piazzale del Collegio Etiopico
V Largo S. Matteo
W Largo S. Giuseppe Artigiano
Y Largo S. Giovanni Bosco
Z Largo Fontana del Sacramento

a Cortile dell'Olmo
b Cortile del Maggiordomo
c Cortile Sisto V
d Cortile S. Damaso
e Cortile del Maresciallo
f Cortile dei Pappagalli
g Cortile Borgia
h Cortile della Sentinella
i Cortile del Belvedere
l Cortile della Biblioteca
m Cortile della Pigna
n Cortile delle Corazze
o Cortile del Triangolo
p Cortile S. Michele Arcangelo

Villa pontificale de Castelgandolfo: l'observatoire astronomique

de Saint-Pierre, instituée au XVIe siècle, lorsque commença la construction de l'actuelle basilique. La Fabrique est présidée par le cardinal archiprêtre de la basilique, et compte parmi ses membres des architectes et des techniciens. Ses ouvriers sont appelés « sampietrini ». A la Fabrique est annexé un **Atelier de mosaïques.**

Le Vatican possède une typographie qui imprime en presque toutes les langues, la **Typographie Polyglotte Vaticane.** Il a aussi une **Librairie Editrice,** et un journal: **L'Osservatore Romano,** quo-

Palazzina de Léon XIII, dans les jardins du Vatican, siège de la Direction générale de Radio Vatican. Plusieurs studios et installations de l'émetteur s'y trouvent aussi

tidien politique et religieux fondé en 1861. Dans la partie officielle, qui occupe généralement la première page, sont rapportés les discours du Pape, les documents et les nouvelles du Saint-Siège. Pour le reste, c'est un organe de documentation et d'information du domaine ecclésial d'abord, spécialement en ce qui concerne les activités du Saint-Siège, la vie de l'Eglise dans le monde et les problèmes religieux contemporains; documentation au niveau international ensuite dans le domaine politique, social, culturel et économique. *L'Osservatore Romano* paraît en outre en éditions hebdomadaires de langue française, anglaise, espagnole, portugaise, allemande et italienne. Le Vatican publie aussi un autre périodique: **L'Osservatore della Domenica,** hebdomadaire illustré, fondé en 1934. Ces différents journaux sont imprimés par un autre atelier typographique, l'« Imprimerie de l'Osservatore Romano ».

Depuis 1931, le Saint-Siège dispose d'une station émettrice. Inaugurée par Pie XI et G. Marconi, **Radio-Vatican** effectue maintenant des transmissions en plus de trente langues, durant environ vingt heures par jour. Elle porte ainsi jusque dans les pays les plus éloignés la parole du Pape et assure des émissions de formation et d'information sur l'Eglise et sa vie dans le monde.

A l'extrémité de la via della Conciliazione, tout près de la place Pie XII, se trouve la **Salle de Presse du Saint-Siège,** où se réunissent les journalistes accrédités par les journaux de toutes les parties du monde, pour la communication de nouvelles et de documents.

Le Vatican est aussi un Etat

Depuis le traité du Latran, conclu entre le Saint-Siège et l'Italie le 11 février 1929, le Vatican est aussi un Etat: l'**Etat de la Cité du Vatican.** Son territoire a une superficie de 44 hectares (cent quarante fois moindre que celle de la République de Saint-Marin) et est peuplé de quelques centaines d'habitants. Il est délimité par la colonnade de la place Saint-Pierre, la via di Porta Angelica, la piazza del Risorgimento, la via dei Bastioni di Michelangelo, le viale Vaticano et la via della Stazione Vaticana. Résidu minuscule de ce qu'il fut dans le passé jusqu'en 1870, l'Etat pontifical a pour but essentiellement et uniquement de permettre au Siège Apostolique la liberté territoriale qui lui est nécessaire pour accomplir sa mission spirituelle.

En vertu du même traité du Latran, quelques propriétés immobilières appartenant au Vatican jouissent de l'extraterritorialité: par exemple les basiliques majeures de Saint-Jean de Latran, de Saint-Paul hors les Murs, de Sainte-Marie Majeure, les édifi-

*Le drapeau
de l'Etat de la Cité du Vatican*

ces des dicastères de la Curie romaine et la villa pontificale de Castelgandolfo.

Le **Souverain** de la Cité du Vatican est le Souverain Pontife. Il a la plénitude des pouvoirs législatif, exécutif et judiciaire. Les deux premiers sont exercés par une **Commission pontificale** composée de cardinaux et d'un délégué spécial laïc; le troisième est exercé par des **Tribunaux.** Sous la dépendance de la Commission pontificale, le **Gouvernorat** s'occupe en grande partie de l'activité de l'Etat au moyen d'un secrétariat général comprenant sept bureaux (affaires générales, affaires juridiques, personnel, comptabilité centrale, postes et télégraphes, marchandises, surveillance) et au moyen de 3 directions (monuments, musées et galeries pontificales, services techniques, Radio-Vatican) et de 5 directions (services économiques, observatoire, services sanitaires, études et recherches archéologiques, villas pontificales). Le 29 juin 1969, un **Conseil d'Etat** a été constitué pour aider le Gouvernorat.

Du Gouvernorat dépend le **Bureau d'Information pour les Pèlerins et les Touristes,** situé sur la place Saint-Pierre, près de l'arc des cloches: son but est de faciliter en particulier la visite du Vatican sous l'aspect religieux et culturel.

L'Etat du Vatican a son drapeau, formé de deux champs divisés verticalement: l'un jaune (près de la hampe), l'autre blanc, et portant la tiare et les clefs entrecroisées.

L'hymne est la « marche pontificale » de Gounod, de la messe jubilaire de Pie IX, composée pour le cinquantième anniversaire de son ordination sacerdotale.

La dissolution des Corps armés (Garde d'honneur, Gendarmerie pontificale, Garde palatine), par décision de Paul VI, le 14 septembre 1970, a eu pour but de souligner même extérieurement le caractère religieux de la mission du Successeur de Pierre. Seul le Corps des **Gardes suisses** a été maintenu et continue de porter l'uniforme pittoresque, dessiné, selon une tradition, par Michel-Ange.

Un Corps civil de surveillance, dépendant du Bureau central de surveillance, assure le service d'ordre nécessaire.

L'Etat de la Cité du Vatican émet ses propres timbres, car il a aussi son **Bureau de Poste** et son **Télégraphe;** il frappe sa **propre monnaie,** qui a libre cours en Italie; il dispose d'une **Gare de Chemin de Fer.**

L'Etat du Vatican est membre de certaines organisations internationales gouvernementales: l'Union postale universelle, l'Union internationale des Télécommunications et l'Union pour la Protection des Œuvres littéraires et artistiques. Il est membre également d'organisations non gouvernementales: l'Institut international de Sciences administratives, l'Association médicale mondiale.

Soldats de la Garde suisse pontificale pendant la cérémonie du serment

L'ensemble architectural de la Cité-Etat est principalement constitué par la basilique Saint-Pierre, le Palais apostolique qui entoure la cour Saint-Damase, les édifices des Musées et de la Bibliothèque, à l'intérieur desquels se trouvent les cours de la Pigna et du Belvédère. De nombreux Pontifes ont ajouté d'autres édifices à ces constructions: par exemple le palais du Gouvernorat pour les services énumérés plus haut et la nouvelle salle des audiences.

Au nord-ouest des constructions s'étendent les jardins du Vatican, situés à l'intérieur de l'enceinte érigée par Paul III,

Vue des jardins du Vatican

Pie IV et Urbain VIII, entre 1550 et 1640, pour élargir et défendre la Cité. On peut y voir encore une partie des murs de l'ancienne « Cité léonine ».

Dans les jardins nous trouverons le petit temple de la Madone della Guardia, voulu par Benoît XV (1914-1922) en souvenir du sanctuaire gênois du même nom; puis une reproduction de la Grotte de Lourdes que les catholiques français offrirent à Léon XIII (1878-1903), la *palazzina* de Léon XIII et la *casina* de Pie IV.

L'édifice le plus important est la *casina* de Pie IV, siège de l'Académie pontificale des Sciences. C'est une élégante construction, érigée par la volonté de Pie IV qui, en 1558, en confia la réalisation à Pirro Ligorio. Celui-ci en fit un chef-d'œuvre par l'harmonie des proportions et la beauté de la composition.

Au centre des jardins se dresse sur un socle cylindrique une grande statue de l'apôtre Pierre, œuvre de Filippo Gnaccarini, érigée en souvenir du premier Concile du Vatican.

Le Pape Jean XXIII fit restaurer la tour Saint-Jean où il se retirait parfois, si brièvement que ce fût, peu avant sa mort. C'est là que fut logé le patriarche Athénagoras de Constantino-

Casina de Pie IV, dans les jardins du Vatican

ple en 1969 pendant sa visite au Pape Paul VI; de même, en 1970, le patriarche Vasken Ier, Catholicos des Arméniens, et, en 1971, le cardinal hongrois Jozsef Mindszenty.

Des fontaines de formes variées agrémentent les jardins: la fontaine de l'Aigle, qui représente un ballet de dragons et de tritons dominés de haut par un grand aigle, ou celle du Saint-Sacrement, sur les murs de Léon IV, l'une et l'autre probablement de Ferrabosco, qui, avec Maderno et Vasanzio, contribua beaucoup à la décoration des jardins.

A l'intérieur du Vatican se trouve le collège **Ethiopien,** pour la formation du jeune clergé de ce rite. Le collège **Teutonique** est le siège d'un institut d'études archéologiques et historiques, d'une bibliothèque, et on y trouve aussi le cimetière du même nom.

Chapitre II

LA PLACE ET LA BASILIQUE SAINT-PIERRE

La place

Le pèlerin ou le touriste qui va visiter Saint-Pierre est accueilli, comme à bras ouverts, par la majestueuse colonnade incurvée qui marque les limites de la grande place précédant la basilique, chef-d'œuvre de l'architecture du Bernin.

La place, profonde de 240 m., est constituée par une grande ellipse et un vaste parvis trapézoïdal compris entre les bras de la colonnade et l'atrium de la basilique, au fond duquel se dresse la façade de Maderno.

Les deux hémicycles latéraux forment un imposant portique à quatre rangées de colonnes doriques. Construction colossale qui a exigé la mise en place de 284 colonnes et de 88 piliers; 96 statues de saints couronnent le tout.

La colonnade haute de 18,60 m., se développe de manière à former une vaste ellipse de 148 m. de long sur 198 m. de large.

Le Bernin, qui réalisa cet imposant travail entre 1656 et 1667, à la demande d'Alexandre VII, a réussi à symboliser la maternelle grandeur de l'Eglise catholique qui accueille, dans un geste d'amour, toutes les populations.

Place Saint-Pierre, avec la Basilique vaticane et le Palais apostolique

Au centre de la place s'élève l'imposant obélisque égyptien (25,88 m.) qui repose sur le dos de quatre lions de bronze. Il ornait jadis le cirque de Néron, lieu du martyre de saint Pierre, et fut transféré à sa place actuelle sous le pontificat de Sixte V

Intérieur de la Salle des Audiences

(1585-1590). Au sommet du monolithe est insérée une relique de la vraie Croix. L'obélisque fut érigé, sur l'ordre du Pape, par Domenico Fontana (1586). Autour du piédestal est figurée la rose des vents. Deux fontaines, hautes de 14 mètres, furent construites: celle de droite par Maderno (1613) et celle de gauche par Carlo Fontana (1670). Deux disques de pierre, placés entre l'obélisque et chacune des fontaines, marquent les foyers de l'ellipse. En regardant la colonnade à partir de ces endroits, le visiteur a l'impression qu'elle se trouve constituée par une seule rangée de colonnes.

A partir de la place, sur la gauche au-delà de la colonnade, on accède à la salle des audiences, inaugurée par le Pape Paul VI le 30 juin 1971. Œuvre de l'ingénieur Pier Luigi Nervi, elle peut recevoir environ 7.000 personnes assises ou 12.000 debout. L'entrée principale se trouve place du Saint-Office.

De la place Saint-Pierre, on aperçoit, entre la basilique et le Palais apostolique, une partie du toit de la célèbre Chapelle Sixtine, chef-d'œuvre pictural de Michel-Ange, accessible aux visiteurs à partir du Musée du Vatican.

Le Palais apostolique

Le Palais apostolique s'élève sur le côté droit de la colonnade du Bernin.

La partie centrale de cet ensemble architectural, qui s'est développé de manière ininterrompue du treizième au dix-neuvième siècle, est due à l'initiative de Nicolas III (1277-1280). Des développements successifs furent réalisés par les deux architectes Domenico et Carlo Fontana sur l'ordre de Sixte V (1585-1590). L'entrée principale du Palais est appelée **Porte de bronze;** au-delà donnent l'escalier royal ainsi que, à droite, celui de « Pie IX » qui conduit à la cour Saint-Damase. Sur cette dernière s'ouvrent les **Loges de Raphaël,** en trois ordres superposés. Celles du second étage furent décorées par Raphaël; il en sera question plus loin.

L'appartement privé du Pape se trouve au dernier étage du Palais apostolique. De l'avant-dernière fenêtre du côté droit en regardant de la place Saint-Pierre, le Saint-Père se montre, les

Villa pontificale de Castelgandolfo:
Théâtre de Domitien

jours de fête, pour réciter l'angélus avec la foule, lui adresser quelques paroles et la bénir.

Au second étage, se trouve l'appartement pontifical des audiences, constitué par une série de salles qui conduisent à la bibliothèque du Pape. C'est là qu'ont lieu les audiences officielles accordées à titre individuel ou à des groupes restreints.

Chaque mercredi, le Pape accorde une audience générale aux fidèles. Elle a lieu dans la salle des audiences au Vatican ou bien, durant l'été, à Castelgandolfo.

En effet, durant les mois d'été, le Saint-Père se rend pour une brève période dans la résidence pontificale de Castelgandolfo où il poursuit son travail habituel dans une ambiance plus calme et un climat plus salubre. Les jours de fête, il a alors une brève rencontre avec les fidèles, du balcon de la ville de Castelgandolfo, et ses paroles sont simultanément transmises par haut-parleurs sur la place Saint-Pierre.

La **Chapelle Pauline,** voulue par Paul III (1534-1549) et décorée de fresques par Michel-Ange, l'**Appartement Borgia,** qui fut celui d'Alexandre VI (1492-1503), peint à fresques en grande partie par Pinturicchio, les **Chambres de Raphaël,** situées au-dessus, la **Chapelle de Nicolas V,** décorée de fresques par le bienheureux

Jardins de la Villa pontificale de Castelgandolfo

Fra Angelico, font aussi partie de l'ensemble architectural du Palais apostolique. Ces œuvres d'art célèbres sont accessibles par le Musée du Vatican.

La basilique

La basilique Saint-Pierre, élevée au dessus du tombeau glorieux de l'apôtre choisi par le Christ pour être le chef de son Eglise, constitue le centre d'attraction le plus stimulant pour celui qui vient à Rome attiré par le sentiment religieux ou par l'intérêt artistique.

Elle est avant tout un lieu de culte et de prière qui exige, de la part de tout visiteur, le plus grand respect. Sous ses voûtes, se déroulent les cérémonies liturgiques les plus suggestives présidées par le Souverain Pontife.

Dans ces occasions, une **Chapelle musicale pontificale** exécute les chants qui accompagnent les fonctions sacrées. Elle est très ancienne et est communément appelée *Chapelle Sixtine,* du nom de Sixte IV (1471-1484) qui l'a reconstituée et en a assuré le développement.

1. Le martyre de saint Pierre et la « memoria » apostolique

Au centre de la basilique vaticane se dresse l'autel papal surmonté du baldaquin de bronze de Gian Lorenzo Bernini et dominé tout en haut par la coupole de Michel-Ange.

L'autel du Pape se trouve exactement au-dessus de la tombe de saint Pierre. La tradition de l'Eglise affirmait depuis des siècles que Pierre, le pêcheur de Galilée, était venu à Rome — la capitale de l'Empire — prêcher l'Evangile; qu'il y avait subi le martyre au temps de Néron, dans le cirque du Vatican; que plus tard, sur l'emplacement de sa tombe, l'empereur Constantin avait érigé la première église en l'honneur du martyr. Tout ceci reçoit confirmation de sources aussi variées que dignes de foi, et tout spécialement des recherches entreprises de façon scientifique, sur l'initiative de Pie XII et de ses successeurs, entre 1940 et 1964.

Copie en mosaïque de la Crucifixion de Saint-Pierre, de Guido Reni (Basilique Saint-Pierre. L'original se trouve à la Pinacothèque vaticane)

Grâce aux éléments dont nous disposons, on peut affirmer aujourd'hui que Pierre subit le martyre peu après le fameux incendie de Rome (juillet 64 ap. J.-C.) et selon toute probabilité dans le courant de l'automne de cette même année 64. Son martyre eut lieu dans le cirque de Néron, au Vatican. Le corps de l'apôtre, détaché de la croix, fut enseveli, certainement sur l'initiative de pieux chrétiens, au-delà de la voie qui longeait le cirque en un lieu de l'*ager Vaticanus* (i.e. région vaticane) où existaient déjà des tombeaux. Au début sa tombe fut une simple fosse creusée à même la terre, mais qui semble avoir été tout de suite l'objet de soins attentifs.

Après la mort de Néron (juin 68), le cirque du Vatican tomba bientôt en désuétude. Il resta toutefois, pour en signaler l'emplacement, l'obélisque que plus tard (en 1586) Sixte V fit enlever et transporter au centre de la place Saint-Pierre. Dans cette zone s'étendit au IIe et au IIIe siècle une nécropole proprement dite.

Plus tard, à l'époque de Constantin, et plus précisément peu après 320, cette nécropole fut comblée pour créer le niveau sur lequel devait s'élever la première basilique en l'honneur de saint Pierre: acte qui se justifie seulement par la grande importance attachée à ce lieu par les chrétiens.

La nécropole, située à environ 7 mètres de profondeur sous le pavement de la basilique actuelle, et dégagée lors des fouilles, s'est révélée un des ensembles monumentaux les plus suggestifs de l'ancienne Rome. Les titulaires des riches mausolées qui la composaient étaient des familles paiennes, dont certaines devaient par la suite se convertir à la nouvelle foi. Ces mausolées apportent une contribution importante à la connaissance de l'art, de l'antiquité et de l'histoire des religions aux premiers siècles de l'Empire.

Parmi les vestiges de caractère chrétien, on peut remarquer un petit mausolée — celui des Iulii — étouffé, pour ainsi dire, à l'intérieur de la nécropole. Construit selon une inspiration paienne dans le courant du IIe siècle, il fut transformé dans une optique chrétienne au début du IIIe. Ceci est démonstré par les représentations chrétiennes des mosaïques dont il était entièrement recouvert à l'intérieur. Certaines de ces représentations subsistent encore aujourd'hui: le Bon Pasteur, le Pêcheur divin, le miracle de Jonas, le Christ-soleil montant au ciel sur un quadrige tiré par des chevaux blancs, le tout baignant dans une atmosphère mystique. Une si abondante richesse de mosaïques dans un petit édifice mal situé semble trouver une explication dans sa proximité de la tombe de saint Pierre.

Mais l'extension progressive des édifices funéraires respecta constamment l'aire de la tombe de Pierre qui continuait à être,

Chemin entre les tombeaux,
dans la nécropole vaticane

de la part des chrétiens, l'objet d'une vénération toujours plus intense.

Peu après le milieu du IIe siècle après J.-C. avait surgi sur l'antique tombe du martyr un petit édicule funéraire, semblable à d'autres que l'on connaît dans la Rome de cette époque. Il était constitué de deux niches superposées, séparées horizontalement par une plaque de travertin soutenue par deux colonnettes de marbre. Les deux niches étaient creusées dans l'épaisseur d'un mur appelé par les savants actuels « mur rouge » par suite de la couleur vive de son crépi. Le « mur rouge », construit en même temps que l'édicule, avait un double but: délimiter l'aire de saint Pierre du champ funéraire situé derrière (vers l'ouest) et en même temps constituer un fond de décor pour l'édicule pétrinien. Dans le dallage de l'édicule une clôture peu élevée permettait la communication avec l'antique tombe où gisaient les restes de l'apôtre. Devant l'édicule s'étendait ensuite (vers l'est) un petit espace découvert, une sorte d'esplanade rectangulaire d'environ 7 m. × 4 que les archéologues actuels appellent généralement « champ *P* ». C'était une zone laissée libre en signe de respect devant la tombe de l'apôtre.

Les savants reconnaissent désormais unanimement dans l'édicule le fameux *trophée* (i.e. tombe glorieuse) de Pierre au Vatican, dont parlait vers la fin du IIe siècle Gaius, un ecclésiastique romain érudit.

Au cours du IIIe siècle, ce lieu sacré subit quelques modifications. Immédiatement à droite de l'édicule et perpendiculairement au mur rouge fut construit un autre mur, appelé aujourd'hui « mur *g* ». Quoiqu'il en soit de sa destination primitive, c'est un fait que, entre la fin du IIIe siècle et le commencement du IVe, il s'enrichit dans sa partie septentrionale d'une masse considérable de graffiti chrétiens. Ceux-ci, épigraphes griffonnés sur les parois, sont écrits en latin et furent déchiffrés entre 1953 et 1957. On a pu y lire les noms du Christ, de Marie et de Pierre, ce dernier souvent indiqué par les lettres PE, parfois réunies en forme caractéristique de *clé* (₽), au milieu de nombreuses invocations et acclamations qui recommandent les noms de nombre de défunts. On lit, entre autres, à plusieurs reprises, la formule avec laquelle est exaltée la victoire du Christ, de Pierre et de Marie.

Les premières décennies du IVe siècle, décisives dans l'histoire de l'Eglise, apportèrent aussi des modifications considérables à la « memoria » de Pierre. Après la paix avec l'Eglise (313), l'empereur Constantin voulut enrichir Rome de basiliques chrétiennes, dont une fut dédiée à saint Pierre. Pour la construire, il fut nécessaire d'ensevelir complètement une bonne partie de la riche nécropole qui s'étendait d'ouest en est devant la tombe de l'apôtre. Les travaux de remblayage commencèrent peu après 320, mais auparavant (peut-être aux alentours de 315) l'empereur avait pris des mesures pour donner à la « memoria » du martyr un décor digne d'elle. C'est ainsi que surgit le monument constantinien en l'honneur de saint Pierre qui subsiste encore en partie. Ce monument consiste en un prisme rectangulaire qui inclut l'édicule du IIe siècle (le *trophée* de Gaius), la partie du « mur rouge » contre laquelle il s'appuie et le « mur *g* » avec ses graffiti. Tandis que sur trois de ses côtés (nord, sud, ouest) le monument fut revêtu de plaques de marbre précieux de Phrygie et de porphyre royal, sur le côté est, celui qui regarde vers l'entrée de la basilique, il laissa visible la façade de l'édicule du IIe siècle avec sa niche inférieure et sa table de travertin soutenue par les deux petites colonnes de marbre. Le monument fut entouré d'une haute grille de bronze et orné de six colonnes torses de marbre précieux, décorées de sarments de vigne, que Constantin avait fait transporter de Grèce à Rome; plus tard Gian Lorenzo Bernini s'en inspira pour son célèbre baldaquin de bronze.

Le monument constantinien était véritablement considéré par les contemporains de Constantin comme la propre tombe du martyr. Il renferme à l'intérieur une petite niche creusée tout exprès dans l'épaisseur du « mur *g* » et revêtue de plaques de marbre. Dans cette niche, on a trouvé un groupe d'ossements incrustés dans une gangue de terre, ainsi que des restes de drap précieux.

Des études scientifiques poussées (archéologiques, pétrographiques, chimiques et anthropologiques), poursuivies avec soin entre 1962 et 1964, ont abouti à la conclusion que cette cavité fut creusée dans le mur à l'époque constantinienne et demeura par la suite toujours fermée et inaccessible de l'extérieur, — que

Le mur g couvert de graffiti et la niche inférieure du monument de Constantin

ces restes osseux appartiennent à une personne unique dont les caractéristiques pourraient correspondre à celles de l'apôtre, — que la gangue de terre dans laquelle ils sont incrustés a une composition similaire à celle de la tombe de saint Pierre. A s'en tenir donc aux données de fait fournies par la science, il est permis de penser que ces ossements sont les reliques du prince des apôtres. Elles durent être extraites de la tombe à l'époque constantinienne, probablement parce qu'on craignait la grande humidité du lieu (en fait, la fosse primitive creusée à même le sol fut découverte, au moment des fouilles, bouleversée et vide) puis replacées ensuite à l'intérieur de la cavité spécialement préparée dans le monument qu'on était alors en train de construire. C'est de cette manière qu'elles nous seraient parvenues, à travers presque vingt siècles d'histoire.

Au-dessus du monument constantinien se superposèrent successivement trois autels: d'abord celui de Grégoire-le-Grand (590-604) sur lequel on se mit à célébrer chaque jour la messe; puis celui de Calixte II (1119-1124) qui engloba celui de Grégoire; enfin l'autel de Clément VIII (1592-1605) qui est l'autel papal de la basilique actuelle. On peut donc constater que la vénération de saint Pierre s'est transmise de siècle en siècle des temps apostoliques jusqu'à nos jours.

Aux pieds de l'autel papal s'ouvre la Confession: une sorte de chapelle découverte entourée d'une haute balustrade. Sur la paroi du fond de la chapelle, au-delà d'une grille artistique, s'ouvre ce qu'on appelle la « niche des Palliums » dans laquelle sont déposés, dans un coffret précieux, les palliums, insignes liturgiques donnés par le Pape aux patriarches et aux archevêques métropolitains, en signe de leur union particulière avec le successeur de Pierre. Elle n'est pas autre chose que la niche inférieure de l'édicule du IIe siècle, i.e. du *trophée* de Pierre mentionné par Gaius. Cette niche est située juste au-dessus de l'emplacement de l'antique tombe primitive; à côté d'elle se trouve la cavité du « mur *g* » qui accueillit ensuite la dépouille funéraire dont nous avons déjà parlé. Quand on regarde la « niche des Palliums », la cavité du « mur *g* » est située sur la droite, là où la paroi est notablement plus large qu'elle ne l'est à gauche. Cette dissymétrie peut trouver sa justification dans la nécessité de conserver intact le « mur *g* », lieu de la seconde tombe.

Tel est donc le premier fondement sur lequel s'élève l'autel papal et qui se trouve être aussi l'origine première de la basilique vaticane.

2. La basilique constantinienne

La valeur sacrée de ce lieu explique la construction d'une grandiose basilique, voulue par l'empereur Constantin, qui n'hésita point à enterrer la nécropole et à entailler les pentes de la colline du Vatican afin d'obtenir la vaste surface plane exigée par l'immensité du nouvel édifice. Les architectes recouvrirent les mausolées, creusèrent la terre au flanc de la colline et s'en servirent pour boucher les tombeaux. Ils obtinrent ainsi le plan de base sur lequel s'élevèrent les murs de la basilique. Lorsqu'en 324 l'empereur déposa, selon la légende, les vêtements impé-

Grimaldi: dessin de la façade de la basilique constantinienne

riaux pour tracer le périmètre du nouveau temple, plus qu'il ne fermait la période des origines du christianisme, il exprimait et réalisait le désir commun des fidèles du Christ. En ce lieu se trouvait vénéré officiellement et librement le prince des apôtres, la « pierre » sur laquelle le Christ a édifié son Eglise; là était la chaire et le lieu du témoignage du pêcheur de Galilée. La basilique fut achevée au cours de la première moité du IVe siècle. C'était une magnifique construction à cinq nefs, précédée d'un vaste atrium à colonnes comportant au milieu une vasque pour les ablutions. Une abondance de mosaïques, de fresques et de nombreux monuments l'ornaient. Quelques-uns se trouvent aujourd'hui dans les cryptes vaticanes qui conservent les restes mortels de nombreux Papes et empereurs d'Occident.

Nicolas V (1447-1455) confia la reconstruction de la basilique à Bernardo Rossellino. Il semble que l'inspirateur de Nicolas V fut Léon Battista Alberti, auquel on doit l'élaboration d'un plan d'urbanisme pour la ville et d'un projet de reconstruction de la basilique. Ce dernier souci était justifié parce que la construction constantinienne donnait des signes de dislocation et menaçait de s'écrouler; le mur méridional de la basilique se déjetait de près de deux mètres vers l'extérieur; les peintures à l'intérieur des nefs étaient à peine visibles. Cependant, à cause de la mort du Pape, survenue trois années après, les travaux restèrent suspendus pendant près d'un demi-siècle.

D'excellents artistes, tels que Giotto, Gaddi et Cavallini, avaient travaillé dans la basilique constantinienne. Leurs œuvres furent presque toutes perdues à cause des malheurs qui affligèrent Rome durant une grande partie du Moyen-Age, ou des travaux de restauration entrepris sous Nicolas V, mais surtout à cause de la démolition commencée sous le pontificat de Jules II (1503-1513). Même si la basilique de Constantin ne pouvait être considérée comme un chef-d'œuvre d'architecture, il est certain qu'elle suscitait l'émotion dans l'âme des pèlerins aussi bien par sa puissance de suggestion religieuse que par l'abondance de sa décoration: pavement à grandes dalles de marbre de couleur, verrières colorées, lampes suspendues en or et en argent, bas-reliefs et statues, draperies orientales et tapisseries des Flandres.

3. **Construction de la basilique actuelle**

Le premier projet de la nouvelle basilique, dû à Donato Bramante, n'est que sommairement connu par un dessin d'Antonio da Sangallo. Il paraît avoir répondu à l'idéal classique d'une structure très simple à plan centré, avec une coupole hémisphérique au milieu et quatre coupoles plus petites à la croisée des bras d'une croix grecque. Le 17 avril 1506, Jules II posa la première pierre de la nouvelle église dans le pilier de gauche qui devait supporter la coupole, et la démolition de l'antique basilique débuta aussitôt, en commençant par le transept. A la mort de Bramante (11 avril 1514), un triumvirat d'architectes — Sangallo, Raphaël et Fra Giocondo da Verona — élabora un nouveau plan qui modifiait radicalement la conception en croix grecque de Bramante, en prévoyant en particulier un allongement notable de la nef centrale.

Raphaël et Fra Giocondo moururent en 1520 et Sangallo eut alors pour adjoint Baldassare Peruzzi: ils se décidèrent à défaire une grande partie de ce qui avait été déjà réalisé. De plus, le sac de Rome de 1527 et ses tragiques conséquences ralentirent le rythme des travaux. A la mort de Peruzzi (1536), Sangallo assuma seul la direction des travaux et commença les fondations du côté de l'abside, selon son propre projet qui modifiait radicalement aussi bien celui de Bramante que celui de Peruzzi. En 1538, on éleva un mur de division entre la onzième et la douzième colonne de la grande nef pour permettre la célébration de l'office canonial et la visite des fidèles. Ce mur fut abatu en 1615, lors de l'allongement de la nef décidé par Paul V.

Le niveau de la basilique constantinienne fut surélevé d'environ trois mètres, sans qu'on puisse connaître avec certitude le véritable motif de cette décision et les cryptes (les « grotte »), anciennes et nouvelles, furent aménagées dans cet espace.

Aux environs de 1546, Michel-Ange, malgré ses réticences, prit la direction des travaux après avoir demandé et obtenu du Pape Paul III (1534-1549) tous pouvoirs en tous domaines. Revenant à l'idée de Bramante d'un plan central, il détruisit ce qu'avait fait Sangallo, à commencer par les immenses murs extérieurs et se préoccupa avant tout de pousser les travaux à un point tel qu'il ne fût plus possible de rien modifier.

Basilique Saint-Pierre: intérieur

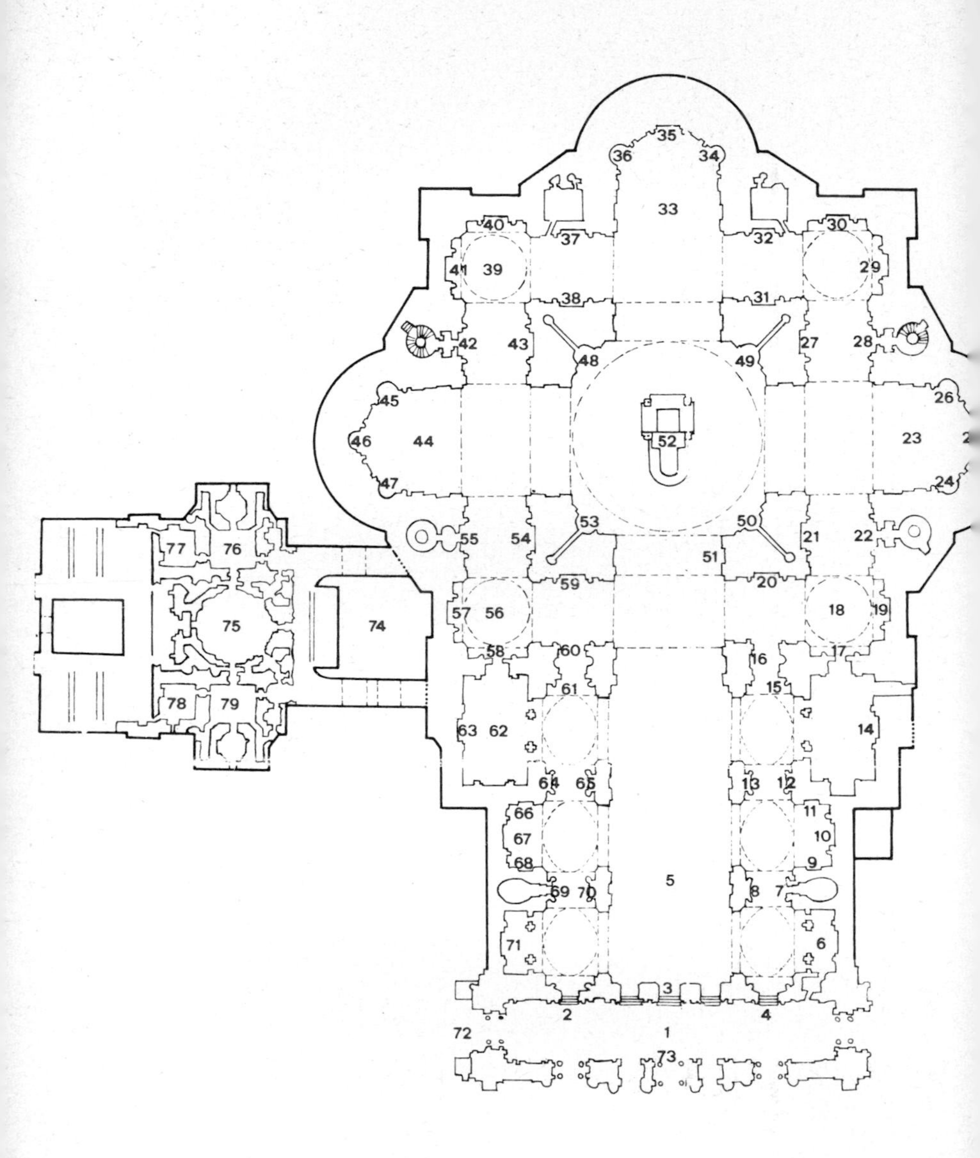

Plan de la Basilique Saint-Pierre

1 Atrium
2 Porte des Morts
3 Porte centrale de Filarete
4 Porte sainte
5 Nef centrale
6 Chapelle de la Pietà
7 Monument de Léon XII
8 Monument de Christine de Suède
9 Monument de Pie XI
10 Chapelle de Saint Sébastien
11 Monument de Pie XII
12 Monument d'Innocent XII
13 Monument de la Comtesse Mathilde
14 Chapelle du Saint-Sacrement
15 Monument de Grégoire XIII
16 Monument de Grégoire XIV
17 Monument de Grégoire XVI
18 Chapelle Grégorienne
19 Autel de Notre-Dame de Bon Secours
20 Autel de Saint Jérôme
21 Autel de Saint Basile
22 Monument de Benoît XIV
23 Transept droit
24 Autel de Saint Venceslas
25 Autel des saints Processus et Martinien
26 Autel de Saint Erasme
27 Autel de la « Nacelle »
28 Monument de Clément XIII
29 Autel de Saint Michel Archange
30 Autel de Sainte Pétronille
31 Autel de Saint Pierre ressuscitant Tabitha
32 Monument de Clément X
33 Nef de la Chaire
34 Monument d'Urbain VIII
35 Chaire de Saint Pierre
36 Monument de Paul III
37 Monument d'Alexandre VIII
38 Autel de Saint Pierre guérissant le paralytique
39 Chapelle de la Vierge de la Colonne
40 Autel de Saint Léon le Grand
41 Autel de la Vierge de la Colonne
42 Monument d'Alexandre VII
43 Autel du Sacré-Cœur
44 Transept gauche
45 Autel de Saint Thomas
46 Autel de Saint Joseph
47 Autel de la Crucifixion de Saint Pierre
48 Statue de Sainte Véronique
49 Statue de Sainte Hélène
50 Statue de Saint Longin
51 Statue de Saint Pierre
52 Confession et autel papal
53 Statue de Saint André (entrée aux grottes)
54 Autel du Bougeoir
55 Monument de Pie VIII (porte de la sacristie)
56 Chapelle Clémentine
57 Autel de Saint Grégoire
58 Monument de Pie VII
59 Autel de la Transfiguration
60 Monument de Léon XI
61 Monument d'Innocent XI
62 Chapelle du Chœur
63 Autel de l'Immaculée Conception
64 Monument de Saint Pie X
65 Monument d'Innocent VIII
66 Monument de Jean XXIII
67 Chapelle de la Présentation de la Vierge
68 Monument de Benoît XV
69 Monument de M. Clémentine Sobiesky (accès à la coupole)
70 Monument des Stuart
71 Baptistère
72 Arc des Cloches
73 Mosaïque de la « Nacelle »
74 Largo Braschi
75 Sacristie
76 Sacristie des Bénéficiers
77 Trésor
78 Salle du Chapitre
79 Sacristie des Chanoines

Entre 1551 et 1557, Michel-Ange poursuivit avec vigueur la réalisation de son projet, achevant complètement le bras droit de la croix et élevant, sur les quatre piliers centraux, les assises de la coupole ainsi que son tambour à colonnes jumelées. Il pouvait ainsi affirmer qu'il avait mené à bien l'essentiel de son gigantesque plan, malgré toutes les traverses et difficultés techniques de l'époque. En novembre 1556, il commença à construire le modèle en bois de la coupole et l'acheva en 1560.

A la mort de Michel-Ange, Pie IV (1559-1565) nomma Vignola architecte de la Fabrique et lui donna l'ordre de suivre fidèlement les plans de son prédécesseur. Sous le pontificat de saint Pie V (1566-1572) les travaux n'avancèrent pas, bien que le Pape, en dépit des soucis dus à la guerre contre les Turcs, eût fourni des sommes considérables pour étudier les problèmes techniques posés par la construction de la grande coupole. Après lui, les recherches furent activement poussées par Grégoire XIII (1572-1585) qui les confia à son compatriote Giacomo Barozzi, dit Vignola, devenu architecte de la Fabriques sous Pie IV, mais sans résultats appréciables. Jacques della Porta lui-même, une fois nommé architecte en 1572, recula lorsqu'il lui fallut affronter l'énorme problème posé par le lancement de la voûte de la coupole. Ce fut seulement devant l'impérieuse décision de Sixte V (1585-1590) et grâce à la collaboration décisive de Domenico Fontana que, le 15 juillet 1588, la construction de la grande coupole commença. Sous l'impulsion énergique du grand pontife, elle fut achevée en 22 mois et la dernière pierre, portant gravé le nom de Sixte V, fut posée le 14 mai 1590 au sommet de la calotte supérieure.

Pour des raisons liturgiques et afin de recouvrir tout l'espace occupé par la basilique primitive, Paul V (1605-1621) revint à l'idée de la croix latine. En septembre 1605, il ordonna la destruction de ce qui restait de la basilique constantinienne. Carlo Maderno allongea alors le bras oriental de la basilique en lui ajoutant trois travées, jusqu'à la façade actuelle. Le 22 novembre 1614, bien que la décoration indique la date de 1612, on pouvait dire que le gros œuvre du « nouveau Saint-Pierre » était terminé et que l'ancien était complètement détruit. En 1628, le 18 novembre, Urbain VIII (1623-1644) consacrait le nouveau sanctuaire.

La basilique actuelle de Saint-Pierre couvre une superficie de 15.160 m.^{2} et sa longueur est de 186 m. à l'intérieur. La longueur totale, y compris le portique et l'épaisseur des murs est de 211,50 m. Il est intéressant de comparer ici avec la longueur de quelques-unes des plus importantes églises du monde: Saint-Paul de Londres (158 m.), le Dôme de Milan (157 m.), celui de Florence (149 m.), Saint-Pétrone de Bologne (132 m.), Sainte-Sophie de Constantinople (110 m.).

Le portique, large de 71 m., a une profondeur de 13,50 m. et une hauteur de 20 m. La façade, haute de 45,44 m., a une largeur de 114,69 m. La nef centrale est haute de 44 m. et large de 27,50 m. La coupole a 42 m. de diamètre, soit 1,40 m. de moins que celle du Panthéon, mais, alors que cette dernière s'élève seulement à 43,40 m., celle de Saint-Pierre atteint, au sommet de la croix, la hauteur de 132,50 m.

Le monument possède 44 autels, 104 statues de marbre, 161 en travertin, 40 en bronze et 90 en stuc.

4. **Les principales œuvres d'art de la basilique**

La vaste façade de Saint-Pierre, érigée par Carlo Maderno de 1607 à 1614, est précédée par de grands escaliers à trois paliers, sur le côté desquels se dressent deux statues colossales de saint Pierre, par Giuseppe de Fabris, et de saint Paul, par Adamo Tadolini, érigées aux environs de 1840.

Un ordre unique, de dimensions gigantesques, composé de colonnes et de pilastres, occupe la façade entière, encadrant le balcon appelé « loggia des bénédictions », où le Pape apparaît lorsqu'il donne la bénédiction *Urbi et Orbi.* C'est aussi de ce balcon que, sitôt l'issue du conclave réuni pour l'élection d'un nouveau Pape, le premier cardinal diacre proclame à la foule le nom de l'élu: *Annuntio vobis gaudium magnum: habemus papam ...* (Je vous annonce une grande joie: nous avons un Pape), et le nouveau Pontife donne ensuite au monde sa première bénédiction apostolique.

Cinq portes donnent accès à la basilique. La dernière à droite est appelée la *Porte sainte* car elle est ouverte par le Pape lui-même seulement au début de chaque année jubilaire, et il la ferme lorsque l'année est achevée. C'est depuis l'an 1300 que le Pape concède des jubilés. Ceux-ci eurent lieu d'abord tous les cent ans, puis tous les cinquante et enfin actuellement tous les vingt-cinq ans, et les fidèles peuvent acquérir, en ces occasions, des indulgences particulières.

Dès l'entrée dans la basilique, on admire la majestueuse nef centrale à l'extrémité de laquelle s'élève, sur la droite en arrivant à la confession, une vénérable statue de bronze représentant saint Pierre, assis et bénissant. Le pied droit est tout usé par les baisers des fidèles. On crut pendant longtemps que cette statue était une œuvre du cinquième siècle, mais il s'agit d'un ouvrage du treizième siècle, dû à Arnolfo di Cambio.

Quelques pas plus loin, on parvient sous la coupole, supportée par quatre grandioses arcades qui reposent elles-mêmes sur autant d'énormes piliers.

Basilique Saint-Pierre: Le Bernin, Baldaquin de bronze, au-dessus de l'autel papal

Au centre, le célèbre baldaquin de bronze, œuvre du Bernin, surmonte l'autel papal. Commencé avant 1624, il fut inauguré par Urbain VIII en 1633, la veille de la fête des saints Pierre et Paul. Construit par Maderno, l'autel est appelé « autel de la confession » car il surplombe immédiatement la tombe de l'apôtre qui rendit, par son martyre, témoignage de sa foi au Christ; les quatre-vingt quinze lampes de la balustrade éclairent nuit et jour la tombe du pêcheur de Galilée. En face de cette dernière, la statue de Pie VI en prières, œuvre de Canova.

L'œuvre la plus importante de la nef de droite est le groupe de marbre bien connu, la *Pietà,* sculptée par Michel-Ange en 1500, alors qu'il n'avait que 25 ans. Après la déposition de la croix, le corps du Christ est étendu, dans une pose d'abandon, sur les genoux de la Vierge. C'est l'unique œuvre à porter la signature de Michel-Ange, bien visible sur la bande en travers de la poitrine de la Madone. Endommagée par un déséquilibré au mois de mai 1972, cette œuvre a été restaurée au cours de la même année.

Dans la chapelle suivante, de forme elliptique, on remarquera un crucifix attribué à Cavallini (XIIIe siècle) et, en face, le tombeau de Christine de Suède. La grande chapelle adjacente contient la statue de Pie XII, par Francesco Messina, inaugurée par Paul VI, et vis-à-vis, celle de Pie XI, œuvre du sculpteur Francesco Nagni.

Dans la même nef de droite, la *Chapelle du Saint-Sacrement* est particulièrement digne de remarque. Fermée par une grille de fer forgé dessinée par Borromini, elle est célèbre par son riche tabernacle de bronze doré, par le Bernin (1674), encadré par deux anges adorateurs à genoux. On y conserve le Saint-Sacrement et il est possible d'y recevoir la Communion pendant les messes qui y sont célébrées ou à d'autres moments de la journée.

Au fond de la nef se trouve une copie en mosaïque de la *communion de saint Jérôme,* du Dominiquin, dont l'original se trouve à la Pinacothèque Vaticane.

De la nef latérale droite, on parvient à la *Chapelle grégorienne,* ainsi nommée parce qu'elle fut construite sous Grégoire XIII par Jacques della Porta (1585).

Du côté gauche de la basilique, la *Chapelle clémentine* fait

Basilique Saint-Pierre:
La Pietà, de Michel-Ange

La Pietà, de Michel-Ange (détail)

pendant à la Chapelle grégorienne; elle fut terminée par le même architecte sous Clément VIII. En descendant la nef gauche vers la sortie, on voit la *Chapelle du Chapitre,* dessinée par Carlo Maderno. Dans le passage, est érigé le monument à saint Pie X (1903-1914), de l'architecte Florestano di Fausto et du sculpteur Enrico Astorri (1923). Le Pape est représenté priant pour la paix lors de la guerre de 1914-1918. Ses restes mortels sont vénérés par les fidèles dans une châsse de cristal placée sous l'autel dans la chapelle voisine de la Présentation. Presqu'en face du monument de Pie X, au revers du second pilier, a été placé le célèbre tombeau d'Innocent VIII, dû a Antonio Pollaiolo (1498), en bronze partiellement doré. Il est le monument le plus ancien de l'actuelle basilique et le seul qui y ait été transféré après avoir appartenu à l'ancienne.

En continuant toujours vers la sortie, on arrive à la *Chapelle de la Présentation* qui conserve les reliques de saint Pie X. Sur le côté droit de la chapelle, est placé le bas-relief consacré à Jean XXIII, par Emilio Greco et à gauche le monument élevé à la mémoire de Benoit XV, par Pietro Canonica.

On arrive ensuite au *baptistère.* La chapelle, construite par Carlo Fontana, contient quelques unes des meilleures mosaïques de la basilique: le baptême (de Maratta), les saints Processus et Martinien (de Passeri), le centurion Corneille (de Procaccini). La fontaine baptismale est constituée par un antique sacorphage de porphyre rouge.

Les nefs latérales conduisent aux transepts. Dans celui de droite, dit *des saints Processus et Martinien,* à cause de l'autel central qui leur est consacré, furent tenues les séances du premier concile du Vatican, en 1870. Dans le passage qui conduit de ce transept à la *Chapelle de saint Michel,* peinte par Guido Reni (à droite de l'abside), est située une des œuvres les plus célèbres de Canova, le monument à Clément XIII.

Au fond de la basilique se détache la gloire de la *Chaire* triomphale du Bernin, exécutée sous le pontificat d'Alexandre VII (1655-1667) dans le style baroque, en bronze rehaussé d'or. Elle contient une cathèdre de bois que l'on croyait, depuis le treizième siècle, être celle utilisée par saint Pierre lorsqu'il prêchait. En réalité, certains spécialistes estiment, après les études scientifiques voulues par Paul VI, que le précieux vestige est un siège royal de Charles le Chauve, donné au Pape vers l'an 875. Ce siège royal devenu chaire papale est décoré, sur sa face antérieure, de précieuses lamelles d'ivoire qui représentent les travaux d'Hercule et diverses figures.

La *Chaire* de bronze est soutenue par deux docteurs de l'Eglise latine, saint Ambroise et saint Augustin, et par deux docteurs de l'Eglise grecque, saint Athanase et saint Jean Chrysostome. Au-dessus, une rayonnante *gloire* de stuc doré, égayée d'anges surgissant parmi les nuées, enveloppe, dans la lumière tombant d'en-haut, la colombe, symbole de l'Esprit-Saint, âme de l'Eglise. L'effet théâtral, un des plus beaux du baroque tardif, illustre une idée religieuse profonde. La chaire est le symbole du magistère de l'Eglise qui trouve sa plus haute expression dans l'enseignement doctrinal du Souverain Pontife. Selon la promesse du Christ, l'inspirateur et le garant de cet enseignement est l'Esprit-Saint cependant que la réflexion théologique, symbolisée par les saints docteurs, en dépend et en même temps en assure la résonance et la profondeur.

Au fond de la chapelle à gauche de l'abside se trouve l'*autel de saint Léon le Grand* dans lequel est conservé le corps de ce Pape. Le haut-relief qui le décore est de l'Algarde et représente la rencontre du saint avec Attila. A côté, est la *Chapelle de la Madone à la colonne.* On y voit une antique image de la Vierge, peinte sur une colonne de l'ancienne basilique et encadrée de marbres précieux. Après le second Concile du Vatican, Paul VI a voulu qu'elle soit vénérée sous le titre de *Mater Ecclesiae.* Dans le passage qui suit on remarquera, au-dessus d'une porte, le tombeau d'Alexandre VII, œuvre typiquement baroque du Bernin. Le bras gauche du transept eut sa voûte décorée par Vanvitelli et Maini; son autel central est dédié à saint Joseph.

5. **Les cryptes**

Les cryptes vaticanes sont situées dans le décalage d'environ trois mètres qui sépare le pavement de la basilique actuelle de celui de l'ancienne basilique constantinienne. Leur construction fut commencée sous Grégoire XIII et terminée au temps de Clé-

Basilique Saint-Pierre: Le Bernin, la Chaire de saint Pierre, dans l'abside de la nef centrale

ment VIII (1592). Celles qu'on appelle *grotte vecchie* comprennent trois nefs, à voûte d'arêtes, et sont complétées par six grands *loculi* voûtés en berceau, qui se trouvent sous les chapelles grégorienne et clémentine. Celles que l'on appelle *grotte nuove,* construites sur ordre de Clément VIII, continuent en direction de la grande coupole, sous la croisée, et se développent en demi-cercle autour de la *Chapelle de saint Pierre* (Confession), élevée, comme on l'a dit, sur le tombeau de l'apôtre.

Depuis le début, on y a transporté les monuments funéraires, les fresques, les mosaïques, les autels et les sarcophages parmi lesquels celui de Junius Bassus, chef-d'œuvre de l'art paléochrétien, qui représentent les quelques restes de l'ancien sanctuaire.

De 1940 à 1950, Pie XII fit faire d'importants travaux de fouille afin d'assurer un meilleur aménagement par l'adjonction de dix nouvelles salles destinées à la conservation des anciennes œuvres d'art exposées autrefois dans le musée de Saint-Pierre, maintenant supprimé, ou redécouvertes durant les travaux.

Ces dernières années, on a mis au jour le niveau de la basilique constantinienne sous laquelle, comme on l'a dit, se trouvait une vieille nécropole romaine. Dans ces cryptes, enfin, ont été installés de nouveaux autels ainsi que les tombeaux de 17 Papes, parmi lesquels ceux de Pie XII et de Jean XXIII.

Importantes, au point de vue artistique et historique, certaines mosaïques funéraires de la *chambre du pêcheur* sont parmi les plus anciennes à sujets chrétiens. Particulièrement intéressant aussi est le monument de bronze du Pape Sixte IV, considéré comme le chef d'œuvre d'Antonio Pollaiolo (1493).

Les « Grottes » peuvent être considérées comme un trait d'union entre l'ancienne basilique détruite et l'actuelle.

6. **Trésor et Musée historique et artistique de Saint-Pierre**

Dans la nef de gauche se trouve l'entrée de la sacristie, du Trésor et du Musée historico-artistique de Saint-Pierre. On y pénètre par une porte qui se trouve entre le bras gauche du transept et la Chapelle clémentine, sous le solennel monument de Pie VIII. Dans les salles de ce musée sont conservées de précieuses reliques de l'ancienne basilique, telles que la croix de Justinien II. La plupart des autres objets exposés sont plus récents, car nombre d'objets précieux se sont trouvé dispersés au cours des nombreux pillages auxquels Rome fut soumise au cours des siècles, et en particulier par les spoliations napoléoniennes. Par le traité de Tolentino de 1797, en effet, le Saint-Siège devait verser à l'armée française la somme de dix millions de livres en or et cinquante millions en objets précieux. A ce moment furent fondus des objets d'or et d'argent et livrés des chefs-d'œuvre d'argenterie d'une valeur inestimable.

7. **Montée à la coupole**

L'accès à la coupole est situé dans la même nef de gauche, sous le monument de Marie Clémentine Sobieski. La première partie de la montée conduit à la terrasse qui surmonte la nef centrale et peut être effectuée en ascenseur ou à pied. De la terrasse, on admire la majestueuse coupole de Michel-Ange qui domine les dix coupoles plus petites: deux, plus importantes, émergent du toit (ce sont les coupoles de la Chapelle grégorienne et de la Chapelle clémentine) et les autres, plus petites, forment une double file et recouvrent les chapelles des nefs latérales.

De la terrasse, on accède à la coupole elle-même en montant dans l'intervalle qui sépare les deux calottes dont elle est constituée. On atteint ainsi la *Loggia panoramica* qui entoure la *lanterne*. De là s'offre aux regards une vue sur l'Etat de la Cité du Vatican et sur Rome.

Chapitre III

LA ROME CHRÉTIENNE

Le Pape, en tant que successeur de saint Pierre, est aussi évêque de Rome. Il est aidé dans le gouvernement du diocèse par un cardinal vicaire.

L'organisation actuelle du **Vicariat de Rome** remonte à 1912.

Le siège du Vicariat se trouve au palais du Latran, à côté de la cathédrale millénaire de Rome, la basilique du Très Saint Sauveur, dite aussi de Saint-Jean de Latran.

Le cardinal vicaire a pour collaborateurs un ou deux archevêques vice-gérants et quelques auxiliaires.

Rome est une ville très riche en églises. Le visiteur s'intéresse particulièrement aux plus anciennes, soit à cause de leur richesse en souvenirs religieux et historiques, soit parce que, en général, elles l'emportent sur les autres par la noblesse de leur architecture et de leur ornementation.

Outre la basilique Saint-Pierre, trois églises ont le titre de basilique majeure ou patriarcale: Saint-Jean de Latran et Sainte-

Marie Majeure, dans la ville, et Saint-Paul hors les Murs qui est, comme Saint-Pierre, une basilique cémétériale extra-urbaine. Saint-Laurent hors les Murs (sur la place du même nom, au Verano, là où se trouve le principal cimetière de Rome) est également considéré, depuis les temps les plus anciens, comme basilique majeure, tandis qu'au Moyen Age on attribua le titre de basilique mineure aux églises de Saint-Laurent in Damaso (dans le palais de la Chancellerie) et de Sainte-Marie du Transtévère (sur la place du même nom et au centre du Transtévère). Diverses autres églises ont acquis également le titre de basilique mineure par suite de la coutume ou d'un privilège papal.

Parmi les nombreux édifices sacrés qui ont une particulière importance historique ou artistique, rappelons Sainte-Sabine sur l'Aventin, Saint-Clément (rue Saint-Jean de Latran, entre le Colisée et la basilique du Latran), Sainte-Marie sopra Minerva (place de la Minerve, près du Panthéon; celui-ci était primitivement un temple païen, transformé ensuite en église chrétienne; il abrite les tombeaux d'hommes illustres, parmi lesquels Raphaël), Sainte-Marie in Cosmedin (place de la Bocca della Verità), le Gesù et Saint-Ignace (sur les places du même nom), Saint-Pierre au Montorio (sur le Janicule), Saint-André della Valle et la Chiesa Nuova (sur le corso Vittorio Emanuele), Sainte-Agnès in Agone (place Navone), Saint-Grégoire et Saints Jean et Paul au Cælius (près du Colisée), et, non loin de là, Sainte-Marie in Domnica (appelée aussi la Navicella), Saint-Pierre aux Liens (où se trouve le Moïse de Michel-Ange, non loin du Colisée également), Sainte-Agnès hors les Murs (basilique constantinienne, sur la via Nomentana), Sainte-Marie in Aracoeli (sur le Capitole), Sainte-Cécile au Transtévère (sur la place du même nom), Sainte-Pudentienne au Viminal (via Urbana), Sainte-Praxède à l'Esquilin (rue du même nom).

Eglise Sainte-Marie in Domnica:
abside décorée par le pape Pascal Ier

Les lieux et monuments de la Rome antique qui sont liés au premier développement de la foi chrétienne sont particulièrement évocateurs. Signalons en particulier les diverses catacombes (on en parlera plus loin) et la Prison Mamertine, sous l'actuelle église Saint-Joseph des Charpentiers, au Forum romain (via Clivo Argentario), ancienne prison publique romaine dans laquelle, selon la tradition, saint Pierre lui-même aurait été enfermé sous l'empereur Néron.

Basilique Saint-Jean de Latran

La basilique Saint-Jean de Latran s'élève à l'emplacement du palais des Laterani, donné par Constantin au Pape Miltiade qui y tint un concile en 313. Les fouilles faites sous Pie XI ont montré que la basilique fut construite sur la caserne des *equites singulares,* cavaliers qui faisaient partie de la garde de Maxence. L'église primitive, à cinq nefs, fut dédiée au Christ Sauveur, et seulement plus tard à saint Jean-Baptiste, Précurseur de Jésus, et à saint Jean l'Evangéliste, apôtre et auteur du quatrième Evangile. La basilique constantinienne, dévastée par les vandales (en 455), fut restaurée par saint Léon le Grand (440-461) puis par Adrien 1er (772-795). Gravement endommagée par un tremblement de terre en 896, elle fut réédifiée par Serge III en 905.

Basilique Saint-Jean de Latran: la façade principale

Nicolas IV (1288-1292) l'enrichit de décorations fastueuses. Détruite à nouveau par deux incendies, l'un en 1308, l'autre en 1361, elle fut restaurée en grande partie par Urbain V (1362-1370) et par Grégoire XI (1371-1378), qui firent appel pour cela au siennois Giovanni di Stefano.

Le renouvellement de la façade principale, un des plus beaux monuments d'architecture à Rome, est dû à Clément XII (1730-1740), et celui de l'abside, terminée en 1885, à Léon XIII (1878-1903).

Dans la basilique et dans le palais voisin se sont tenus les conciles œcuméniques — qui ont pris le nom de « conciles du Latran » — de 1123, 1139, 1179, 1215 et 1512-1517.

La **façade principale,** d'Alexandre Galilei, comprend, entre autres choses, une majestueuse loggia avec des arcades qui s'étendent tout le long du fronton. Sur la corniche de la façade s'élèvent 4 statues d'apôtres et de saints dominées par la grande figure du Sauveur avec la croix. A l'intérieur de la basilique, à cinq nefs, plafond majestueux portant les armes de divers papes.

Correspondant aux piliers de la nef centrale, **douze niches** dessinées par Borromini, dans lesquelles ont été placées des grandes statues d'apôtres. Au-dessus d'elles, de précieux hauts-reliefs, de 1659, représentant des scènes de l'Ancien et du Nouveau Testament, d'après des dessins d'Alexandre Algardi, dit l'Algarde.

Le **transept** a été complètement rénové sous le pontificat de Clément VIII (1592-1605). Les travaux et ont été confiés à Jacques Della Porta et au Chevalier d'Arpin.

Au milieu du transept se trouve l'autel papal, restauré en 1851. Dans sa partie supérieure, on a conservé un autel de bois sur lequel, selon une vieille tradition, auraient célébré saint Pierre

Intérieur de la Basilique Saint-Jean de Latran:
autel papal avec baldaquin gothique et abside

et ses successeurs. Au pied de l'autel, la pierre tombale de Martin V (1417-1431), beau travail de Simon Ghini.

Le **presbyterium** et l'**abside** sont dominés par une étonnante mosaïque de Jacopo Torriti et Jacopo da Camerino, réalisée entre 1288 et 1294: en haut, dans les nuées, le Sauveur entouré d'anges; au milieu est représentée la Jérusalem céleste d'où jaillissent quatre fleuves (les Evangiles) où vient s'abreuver un troupeau d'agneaux et de cerfs.

A signaler également comme particulièrement intéressants: la fresque représentant Boniface VIII qui décrète le jubilé de 1300 (premier pilier de la nef médiane); même si elle n'est pas de Giotto, elle a un grand intérêt historique; le monument du cardinal Martinez, d'Isaïe da Pisa (nef extérieure droite); la tombe cosmatesque du cardinal Casati (même endroit). La chapelle Corsini, œuvre de Galilei, est une réussite remarquable d'architecture; on y conserve une très bonne sculpture d'Antonio Montauti: *la Pietà.*

En arrière de la basilique, sur la place Saint-Jean de Latran, est situé le Baptistère, érigé par Constantin mais pratiquement reconstruit par Sixte III (432-440) et transformé en 1637 par Urbain VIII qui lui a donné sa physionomie actuelle. Des fouilles récentes, exécutées sous le baptistère et à ses alentours, ont permis d'identifier deux phases successives de la construction, d'abord ronde, puis octogonale. Elles ont montré en outre que le plus célèbre des baptistères s'élève sur l'emplacement de thermes romains du second siècle après J. C. dont on a retrouvé des restes importants, en particulier une belle salle dans la chapelle contiguë de San Venanzio.

Vers le centre de la place se dresse un obélisque égyptien de granit rouge, du XVe siècle avant J. C., provenant de Thèbes en Egypte, transporté à Rome par Constance II sur un navire construit spécialement pour la circonstance: c'est le plus haut et le plus ancien de Rome (47 mètres de hauteur avec son piédestal).

On doit à Sixte V de l'avoir restauré, alors qu'il avait été gravement endommagé là où il se trouvait auparavant (Grand Cirque), et de l'avoir installé en 1588 en face de la basilique du Latran.

A côté de la basilique Saint-Jean de Latran, à droite quand on regarde la façade principale, se trouve l'antique *sancta sanctorum,* ou sont gardées de vénérables images et des reliques, objets d'un culte séculaire. On y accède par un escalier, improprement appelé la **Scala Santa,** que les fidèles gravissent à genoux par dévotion.

Basilique Sainte-Marie Majeure

De Saint-Jean de Latran, en parcourant la via Merulana, on arrive à la basilique Sainte-Marie Majeure, la seconde des basiliques patriarcales de la ville, appelée aussi « libérienne », du nom du pape Libère (352-366) qui en décida la construction. L'église fut entièrement reconstruite au Ve siècle par Sixte III (432-440) qui, en souvenir du concile d'Ephèse, au cours duquel fut proclamée la maternité divine de la Vierge Marie, fit exécuter les fameuses mosaïques de l'arc triomphal. Elle fut la première église romaine dédiée à la Mère du Sauveur.

Grégoire XI (1370-1378) fit dresser le campanile, qui est parmi les plus élevés de Rome. Sixte V et Paul V ajoutèrent les deux chapelles latérales, dites sixtine et pauline, du nom de leurs auteurs.

La **façade** de la basilique fut dessinée par Fuga (1741-1749), qui la réalisa sous Benoît XIV (1740-1758). Dans le portique su-

Basilique Sainte-Marie majeure

périeur se trouve l'admirable mosaïque du XIIIe siècle, de Filippo Rusuti, élève de Cavallini.

La « **loggia** » est adossée à l'ancienne façade de la basilique; elle en conserve la décoration constituée de deux séries de mosaïques représentant, en haut, le Christ bénissant, la Vierge Marie avec quelques saints, des anges et les symboles des Evangélistes; plus bas, le pape Libère, et quelques scènes relatives à la construction de la vieille basilique du temps de ce pape.

L'intérieur de la basilique, assez vaste (86 m. de long) et harmonieux, représente le type parfait de la basilique paléochrétienne. Elle est divisée, selon la conception classique, en trois nefs, la nef centrale étant beaucoup plus large que les nefs latérales. Elles sont délimitées par des colonnes monolithiques surmontées de chapiteaux ioniques. Le plafond, composé de 105 caissons répartis sur cinq rangées, est attribué à Giuliano da Sangallo. La dorure, selon la tradition, aurait été faite avec le premier or venu du Nouveau Monde.

A gauche en entrant dans la basilique, on trouve le monument érigé en l'honneur de Nicolas IV (1288-1292), œuvre de Domenico Fontana et de Leonardo da Sarzana. Du côté opposé, monument de Clément IX (1667-1669), de Carlo Rainaldi et Domenico Guidi.

Dans la Chapelle sixtine, le tabernacle de Torrigiani a été exécuté d'après un dessin de Domenico Fontana. Un peu en avant de l'autel, l'oratoire dit *de la Crèche.* Le long des murs, deux tombeaux, dessinés également par Fontana, en l'honneur de Sixte V (1585-1590) et de saint Pie V (1566-1572).

La Chapelle pauline, ou borghèse, est due à l'architecte Flaminio Ponzio; elle contient les tombeaux des papes Clément VIII (1592-1605) et Paul V (1605-1621). Les peintures qui décorent la chapelle sont de divers auteurs, parmi lesquels Guido Reni; la plus importante est celle de la Vierge *Salus Populi Romani.* Le culte voué par les romains à la vieille icône, qui remonte au IXe siècle, est illustré par maint détail exprimant la piété et la dévotion.

Dans la nef droite, on remarquera l'humble mais intéressant tombeau de Gianlorenzo Bernini, que son fils Lorenzo, chanoine de la basilique, fit exécuter.

Le long des murs latéraux de la nef centrale, on peut admirer 27 panneaux de mosaïque du temps de Sixte III (432-440), témoins précieux de l'art du bas-empire mis au service de la foi chrétienne; 12 furent exécutés sur la paroi de gauche et 15 sur celle de droite (10 sont des fresques du XVIe siècle); ils représentent Moïse et Josué, sur la droite, et des scènes de la vie d'Abraham, d'Isaac et de Jacob sur la gauche. Au fond de la nef, d'autres mosaïques représentent l'Annonciation de la Vierge Marie, des épisodes de l'enfance de Jésus, l'Epiphanie, le massacre des

Intérieur de la Basilique Sainte-Marie Majeure: mosaïque absidale de Torriti

Innocents, la Présentation de Jésus au temple, la fuite en Egypte. Dans la calotte de l'abside, le triomphe de Marie est célébré par la grande mosaïque de Jacopo Torriti (1295), qui représente Jésus sur un trône avec sa Mère qu'il couronne; de part et d'autre du trône, 18 anges. Cette œuvre fut commandée par Nicolas IV (1288-1292), qui est représenté lui-même dans la partie basse de la mosaïque.

Dans l'abside également, quatre bas-reliefs de Mino del Reame (XVe siècle), représentant, à droite, l'Assomption de Marie au ciel et l'Epiphanie, et, à gauche, la crèche et le miracle de la neige.

Dans la nef droite se trouve le Baptistère de Flaminio Ponzio (1605). Les fonts baptismaux, construits par Valadier en 1825, sont constitués par une ample vasque de porphyre. Signalons, à côté des fonts, le haut-relief qui représente l'Assomption de la Vierge, par Pietro Bernini (1606-1611).

Devant la basilique, sur la place, se dresse une grande colonne de marbre, unique survivante des huit colonnes qui ornaient la basilique de Maxence. Elle fut placée là en 1614 par Maderno; elle est surmontée d'une statue de bronze (la Vierge et l'Enfant), par Guillaume Berthelot. Au pied de la colonne, une fontaine semble rappeler l'invitation adressée par l'Ecriture au Peuple de Dieu de venir boire aux sources de la grâce, dont Marie est la mère.

Des fouilles archéologiques effectuées dans le sous-sol de la basilique ont permis d'y reconnaître le *Macellum Liviae,* marché construit par Auguste en l'honneur de son épouse et dont font mention les sources anciennes au sujet des basiliques libérienne et sixtine. Sur une des parois de ce marché, on a trouvé les restes d'un grand calendrier peint, le plus grand connu jusqu'à maintenant (environ 40 m.), datant de la première moitié du IVe siècle après J. C. et recouvert par d'autres peintures murales dans la seconde moitié du même siècle.

Basilique Saint-Paul hors les Murs

C'est la plus grande des basiliques majeures après celle de Saint-Pierre. Elle est d'origine constantinienne et fut édifiée sur la tombe de saint Paul, le persécuteur des chrétiens transformé par le Christ en Apôtre des païens, décapité à Rome au cours de la persécution de Néron (64-68).

Valentinien II, en 386, puis l'empereur Théodose Ier agrandirent la basilique primitive, formée de cinq vastes nefs séparées par 80 colonnes. C'était alors la plus grande église du monde chrétien, et elle le resta jusqu'à la construction de l'actuelle basilique Saint-Pierre.

Presque entièrement détruite par un incendie en 1823, elle fut reconstruite, sous la direction des architectes Bosio, Camporesi, Belli et Poletti, sur ordre des papes Léon XII (1823-1829) et Pie IX (1846-1878). Ce dernier la consacra en 1854.

L'incendie eut lieu quelques jours avant la mort du pape Pie VII, à qui on cacha la triste nouvelle.

Les restes mortels de saint Paul apôtre, fondateur, avec saint Pierre, de l'Eglise de Rome, reposent dans la tombe placée sous l'autel principal et recouverte d'une pierre qui dit simplement *Paulo apostolo mart.* Cette pierre, qui selon certains remonte au IVe siècle et selon d'autres serait apocryphe, fut découverte en 1884 pendant les travaux de reconstruction.

En entrant par le quadriportique, dessiné par Poletti et exécuté par Vespignani et Calderini, on remarque au centre la statue de saint Paul, sculptée par Canonica. Sur la façade, des mosaïques, exécutées d'après des dessins de Consonni et d'Agricola, représentent les quatre grands prophètes: Isaïe, Jérémie, Ezéchiel et Daniel; en haut, le Christ entre saint Pierre et saint Paul.

La porte moderne en bronze niellé d'argent, œuvre d'Antonio Maraini, raconte la vie des deux apôtres. Au revers de la porte de droite, à l'intérieur, Paul VI fit placer une remarquable porte en bronze, actuellement restaurée, qu'Hildebrand, devenu plus tard le pape Grégoire VII (1073-1085), fit exécuter en 1071 à Constantinople par Staurachio di Scio. Elle est composée de 54 panneaux, représentant des figures de prophètes et la vie du Christ, avec des inscriptions grecques; exemplaire remarquable de l'art byzantin, c'est une des pièces les plus caractéristiques de l'orfèvrerie médiévale.

En entrant dans la basilique, on ne peut pas ne pas être impressionné par la netteté des lignes architecturales, rehaussées par le plafond à caissons et par les 36 fresques que Pie IX fit peindre le long des parois. Les portraits de la série entière des Pontifes romains, répartis tout au long des murs de la nef centrale, sont d'un grand intérêt, même si la critique moderne ne confirme pas l'exactitude historique de cette série.

Basilique Saint-Paul hors les Murs

Dans le fond, une majestueuse abside complète la basilique. La lumière filtre à travers l'albâtre des fenêtres, créant une atmosphère toute religieuse et de recueillement.

La nef centrale se termine par les statues de saint Pierre et de saint Paul, respectivement de De Fabris et de Tadolini.

Intérieur de la basilique Saint-Paul hors les Murs:
abside, avec la mosaïque due à des maîtres vénitiens

Dans l'abside, une mosaïque plusieurs fois restaurée a pour thème le Christ juge. A côté de lui, saint Pierre, saint André, saint Luc et saint Paul. A ses pieds, le pape Honorius III (1216-1227), qui confia l'exécution de cette œuvre à trois maîtres vénitiens.

Un peu plus bas, on peut admirer le triomphe de la Passion: la Croix est sur un trône entre des anges, des apôtres et les saints Innocents.

La basilique a sept autels: l'autel papal, deux dans le transept et quatre dans les chapelles latérales.

Le cloître est digne d'une mention particulière; il est attribué à Vassalletti et à son fils, qui ont réalisé également le grand candélabre installé dans le transept. Dans le cloître sont exposés de nombreux fragments d'architecture provenant de l'ancienne basilique, et un grand sarcophage romain dit de Pietro di Leone (enterré ici en 1100) sur lequel sont représentés des épisodes concernant le dieu Apollon.

Le musée, situé à l'étage supérieur du monastère de Bénédictins à qui est confiée la basilique, contient une importante et ancienne collection d'inscriptions chrétiennes et de pierres tombales provenant de l'église constantinienne, et 42 fresques en médaillon représentant de nombreux papes, à partir de saint Pierre. Ces médaillons ornaient l'ancienne basilique avant l'incendie.

Les catacombes

En vertu de l'article 33 du Concordat entre l'Italie et le Saint-Siège, les nombreuses catacombes romaines sont confiées à ce dernier. Il en assure la surveillance, la conservation et l'exploration scientifique.

L'histoire dès catacombes, qui comptent parmi les sanctuaires les plus vénérables du monde chrétien, comporte plusieurs périodes.

Depuis leur origine, c'est-à-dire depuis environ la moitié du IIe siècle après J.-C., jusqu'au début du Ve siècle, elles furent les cimetières des divers *titres* ou paroisses de la communauté chrétienne de Rome.

Les sépultures en profondeur cessèrent d'être pratiquées durant la première moitié du Ve siècle. Les catacombes devinrent alors exclusivement un but de pèlerinage. Des églises surgirent ou s'agrandirent au-dessus d'elles; aux alentours, se trouvaient des abris pour les pèlerins; les cryptes furent embellies, éclairées par des lucernaires, reliées à la surface par des escaliers. Les catacombes qui ne possédaient pas de tombes de martyrs tombèrent peu à peu dans l'oubli. Pour l'usage des pèlerins, des guides furent composés; quelques exemplaires datant des VIIe et VIIIe siècles nous ont été conservés et ils constituent aujourd'hui pour les archéologues des sources de grande valeur.

Vers la fin du VIIIe siècle, les pèlerinages aux sépulcres des martyrs se ralentirent progressivement, puis disparurent complètement. Les faubourgs de Rome, après avoir été pillés à différentes reprises par les Lombards, tombèrent dans l'abandon. A une époque de pauvreté générale, il fut impossible aux Papes de restaurer et de maintenir en état toutes les églises consacrées aux martyrs. C'est pourquoi, à l'exemple des autres régions et particulièrement de l'Orient où l'on avait déjà commencé à déplacer les corps des martyrs pour en enrichir églises et oratoires, les Pontifes Romains décidèrent de transférer les précieuses dépouilles à l'intérieur des murs de la ville. Ce fut, pour les catacombes, le signal de la décadence. Les églises construites à la surface s'écroulèrent peu à peu, et les entrées conduisant aux souterrains disparurent sous les éboulements. Au bout de quelque temps, on ignorera jusqu'à l'existence de la plus grande partie des catacombes primitives. Seules, quelques galeries de celle de Saint-Sébastien sur la voie appienne, qui faisait partie du célèbre cimetière *ad catacumbas,* continuèrent à être visitées durant tout le Moyen-Age.

Il est difficile d'affirmer avec certitude à quelle date chaque cimetière fut redécouvert à l'époque moderne. Le principal mérite de ces recherches revient à Antonio Bosio (1575-1629), surnommé le *Christophe Colomb de la Rome souterraine,* qui découvrit une trentaine de catacombes et fixa surtout les bases de la recherche scientifique concernant l'analyse topographique des monuments en fonction des documents anciens. Pourtant les archéologues des XVIIe et XVIIIe siècles ne suivirent pas la mé-

Cubicule de la catacombe de Domitille: la scène représente la défunte, Veneranda, introduite au paradis par la martyre Pétronille

thode topographique de Bosio. Ils commencèrent à dépouiller les catacombes, transportant inscriptions et sarcophages dans les musées et les églises; ils ouvrirent un grand nombre de tombes pour rechercher les corps de martyrs présumés, qu'ils croyaient reconnaître à la présence de petits vases portant des traces rougeâtres. Les paysans des environs achevèrent l'entreprise de destruction en allant y prélever des matériaux de construction pour leurs fermes. De vastes zones cémétériales prirent alors un aspect de dévastation et d'abandon.

Cette situation cessa au siècle dernier avec l'institution de la Commission pontificale pour l'Archéologie sacrée, fondée par Pie IX. Jean-Baptiste de Rossi (1822-1894) reprit le travail de recherche scientifique et établit les fondements de l'archéologie chrétienne. Ses fouilles remirent en lumière de nombreux sanctuaires de martyrs qui, ensevelis sous les éboulements, avaient échappé par bonheur aux déprédations des siècles passés, et il montra comment lire, dans ces restes de monuments, les pages glorieuses de l'histoire des premiers siècles chrétiens. Ses études suscitèrent un renouveau des recherches qui s'étendit progressivement aux autres domaines du monde antique. Les catacombes romaines demeurèrent un modèle pour ces études.

Sur une zone d'environ trois kilomètres autour des murs d'Aurélien furent découvertes plus de quarante catacombes, réparties le long des principales voies consulaires, car la loi romaine interdisait toute sépulture à l'intérieur de la cité. Chaque catacombe a sa propre histoire: elle commença à se former sur un terrain privé, grâce au consentement bienveillant du propriétaire, ou bien alors, lorsque la communauté chrétienne de Rome, mieux organisée, commença à avoir des possessions collectives, chaque paroisse prit soin d'établir un cimetière commun pour y déposer ses propres défunts. Les catacombes creusées dans des terrains privés portent encore, en général, le nom de leur propriétaire: Balbine, Calixte, Domitille, Maxime, Pontien, Prétextat, Priscille, Trason, etc. Le désir d'utiliser l'espace au maximum suggéra aux chrétiens de Rome d'adopter le modèle des tombes étrusques: le terrain de cette région étant facile à travailler et cependant résistant, on y plaça les défunts l'un au-dessus de l'autre dans des niches rectangulaires, appelées *loculi,* ouvertes dans les parois de galeries souterraines. Les couloirs réservés au passage ont en général une largeur d'environ un mètre et une hauteur comprise entre deux et trois mètres. Des galeries secondaires se détachent, habituellement à angle droit, à partir du passage principal, et forment ainsi un réseau où les tombes se comptent par milliers.

Dans les loculi, creusés généralement sur mesure, les corps étaient placés, enveloppés d'un linceul, et parfois enduits de chaux, ce qui constituait un embaumement économique. Dans une même tombe, on trouve quelquefois deux cadavres ou plus. Le loculus était fermé par des briques ou par une plaque de marbre soigneusement jointoyées à la chaux. Le nom du défunt y était peint ou sculpté, ou même parfois simplement gravé dans la chaux. La famille incrustait parfois, comme unique signe d'identification, une monnaie, une figurine d'ivoire ou une petite pièce de céramique. Très souvent on plaçait aussi un petit vase de parfum ou une lampe à huile.

L'*arcosole* constitue un type de sépulture plus riche. La dalle qui ferme la tombe est placée horizontalement et surmontée d'un arc couvert d'enduit et décoré de fresques. Ce genre de tombe était utilisé surtout dans les *cubicules,* petites chambres ouvertes de loin en loin dans les parois des couloirs et qui sont des tombes de famille. On y trouve la majeure partie des fresques, qui constituent un des grands centres d'intérêt des catacombes. Plus rarement, ces cubicules contiennent des sarcophages, cercueils rectangulaires en marbre sculpté.

Ces peintures et ces sculptures expriment des sentiments religieux d'invocation, de vœux et de prière analogues à ceux des inscriptions. Les chrétiens appelaient leurs nécropoles « dormitorium » (dortoirs), c'est-à-dire lieux de repos, temporaire, dans l'attente de la vie nouvelle. Les catacombes nous font ainsi revivre l'histoire des premières générations chrétiennes qui, dans leurs cimetières, ont exprimé la foi qui les soutenait dans les persécutions et les épreuves, leur confiance dans le secours divin et leur certitude de la résurrection. Les défunts y sont toujours représentés dans une attitude de prière, ou déjà en possession du bonheur éternel.

Les principaux ensembles cémétériaux chrétiens, habituellement ouverts au public, sont:

Saint-Sébastien, sur l'ancienne voie Appienne (via Appia Antica). On devrait l'appeler plus exactement *Mémoire des apôtres,* à la manière des anciens documents. Le culte des apôtres Pierre et Paul, associés dans une même vénération pour la première fois en ce lieu, y a laissé des traces indubitables depuis le milieu du IIIe siècle. Une salle pour repas funéraires, ou *triclia,* a des parois couvertes d'invocations aux deux fondateurs de l'Eglise romaine,

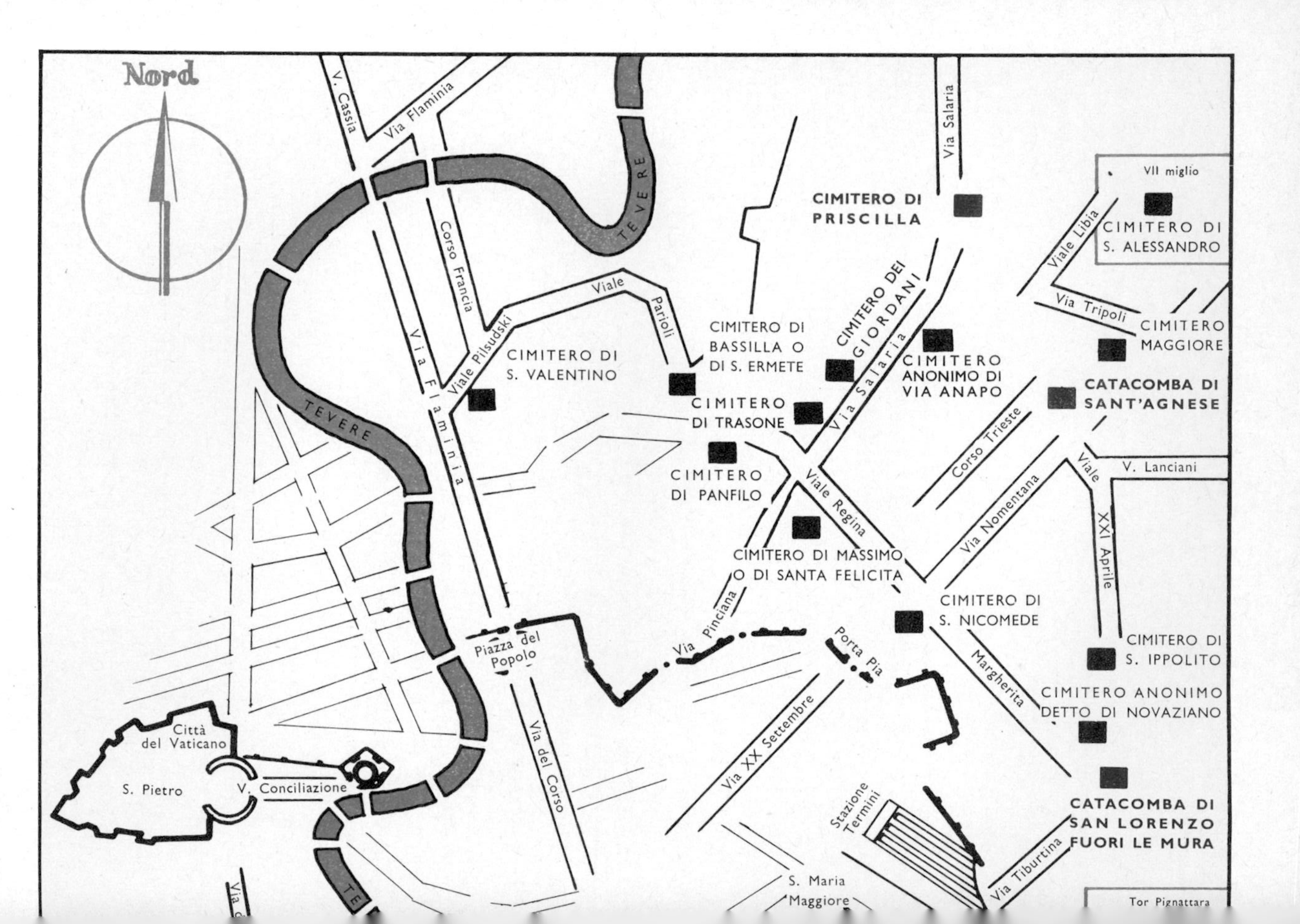

Nord
V. Cassia
Via Flaminia
Corso Francia
Via Flaminia
Viale Pilsudski
CIMITERO DI S. VALENTINO
Viale Parioli
TEVERE
CIMITERO DI PRISCILLA
Via Salaria
CIMITERO DI S. ALESSANDRO
VII miglio
Viale Libia
Via Tripoli
CIMITERO MAGGIORE
CATACOMBA DI SANT'AGNESE
V. Lanciani
Viale XXI Aprile
CIMITERO DI BASSILLA O DI S. ERMETE
CIMITERO DEI GIORDANI
CIMITERO ANONIMO DI VIA ANAPO
Via Salaria
CIMITERO DI TRASONE
CIMITERO DI PANFILO
Viale Regina
Corso Trieste
Via Nomentana
CIMITERO DI MASSIMO O DI SANTA FELICITA
Via Pinciana
Porta Pia
CIMITERO DI S. NICOMEDE
Margherita
CIMITERO DI S. IPPOLITO
CIMITERO ANONIMO DETTO DI NOVAZIANO
CATACOMBA DI SAN LORENZO FUORI LE MURA
Via Tiburtina
Stazione Termini
Via XX Settembre
S. Maria Maggiore
Tor Pignattara
Piazza del Popolo
Via del Corso
TEVERE
Città del Vaticano
S. Pietro
V. Conciliazione

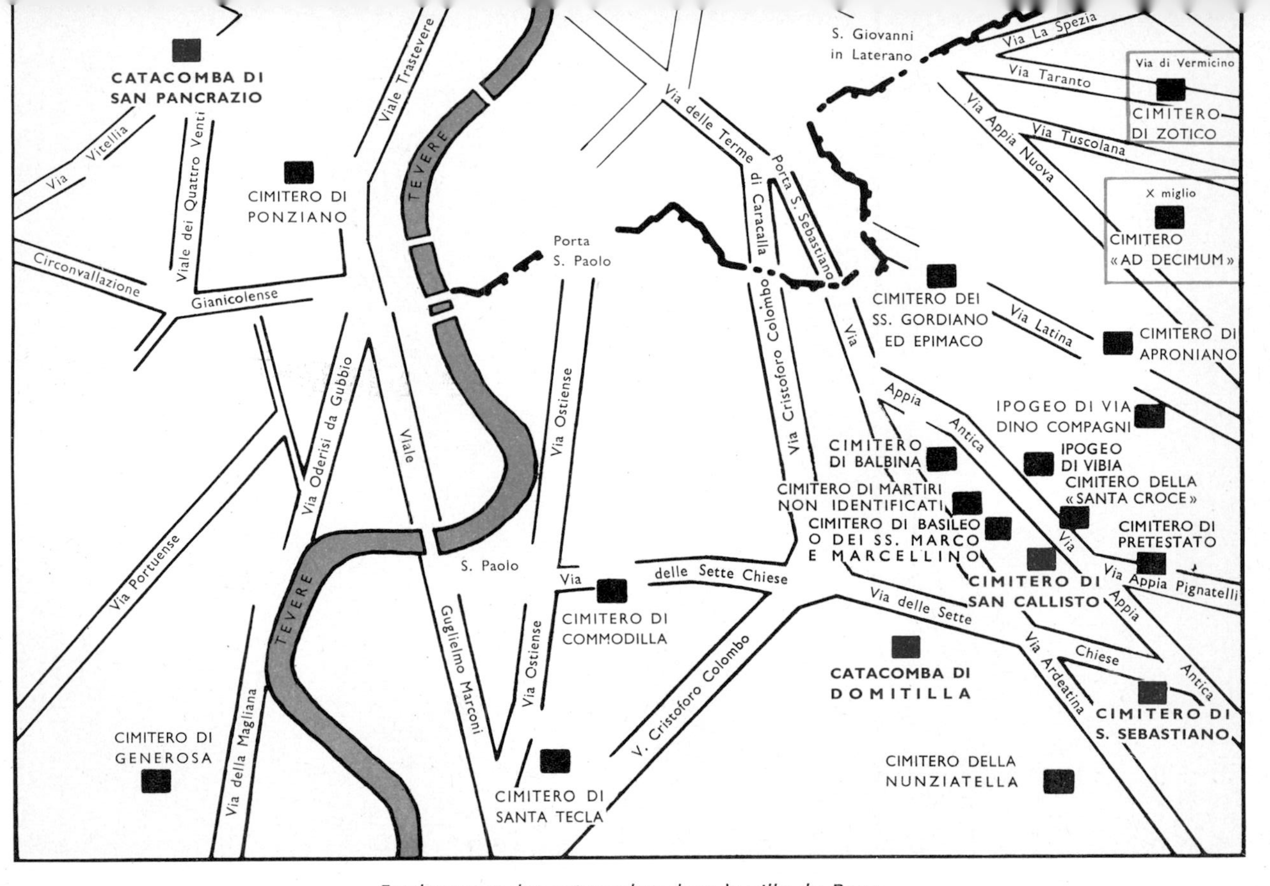

Emplacement des catacombes dans la ville de Rome
(en rouge, les catacombes ouvertes au public)

gravées par les visiteurs; de nombreux sarcophages conservés au musée portent leurs effigies; une grandiose basilique, de forme particulière et entourée d'une couronne de mausolées, fut construite en leur honneur au temps de Constantin au-dessus de la triclia.

En dessous de cette dernière, on a découvert trois mausolées païens, antérieurs, qui avaient été ensevelis lors de sa construction. On y trouve des stucs élégants, des peintures représentant des cérémonies funéraires et un document chrétien d'une importance exceptionnelle: le groupe de lettre grecques *IXTΘYS,* acrostiche de la phrase *Iesús Christós Theoú Uiós Sotér* (Jésus Christ, Fils de Dieu, Sauveur), au milieu duquel fut inséré un « T », symbole de la croix. Le mot grec formé par l'acrostiche *(IXΘUS)* signifie « poisson », et l'on trouve justement un poisson gravé sur plusieurs tombes modestes de l'arénaire voisin qui remonte au IIe siècle. Deux villas romaines décorées de fresques sont des IIe et IIIe siècles. La catacombe s'est développée au IVe siècle, autour de la crypte du martyr Sébastien, victime de la persécution de Dioclétien. Un autre martyr, saint Quirin, fut transporté ici au Ve siècle de la lointaine Pannonie par les soins de chrétiens qui fuyaient les invasions barbares, et il fut déposé dans le grand mausolée qui se trouve derrière l'abside de la basilique et que l'on appelle « Platonia ».

Saint-Calixte est situé lui aussi sur l'ancienne voie Appienne. C'est le plus ancien cimetière officiel de la communauté chrétienne de Rome. Les Souverains Pontifes du IIIe siècle y furent ensevelis. Neuf d'entre eux sont réunis dans une crypte appelée « crypte des papes »: saint Pontien (230-235), saint Antère (235-236), saint Fabien (236-250), saint Lucius (253-254), saint Etienne (254-257), saint Sixte II (257-258), saint Denys (259-268), saint Félix (269-274), saint Eutychien (275-283). Dans des cryptes voisines reposaient les saints Caius (283-296), Eusèbe (309 ou 310), Miltiade (311-314), et Corneille (251-253). Diverses inscriptions de leurs tombes indiquent leur nom, suivi du qualificatif *évêque* et, pour certains, *martyr.* De Rossi a retrouvé par ailleurs les fragments de trois poèmes composés par le pape saint Damase, qui avait un culte passionné pour les martyrs, en l'honneur de ces pontifes. Ces fragments sont écrits avec le splendide alphabet *philocalien,* créé par le calligraphe Furius Dionysius Philocalus.

Sainte Cécile fut ensevelie dans une autre crypte où son image est conservée dans une fresque du IXe siècle. Les autres martyrs célèbres de ce cimetière étaient Tarcisius, le martyr de l'Eucharistie, Calocère et Parthène. La catacombe est riche en peintures, dont les plus importantes sont celles des cryptes de Lucine, de la seconde moitié du IIe siècle, et des cryptes appelées

Le Bon Pasteur, voûte d'un cubicule de la catacombe de Saint-Calixte

« cryptes des sacrements » à cause de leurs représentations se rapportant au baptême et à l'eucharistie. Le cimetière a une très grande étendue et comprend en certains points jusqu'à cinq niveaux de galeries superposées. Certains cubicules ont une architecture grandiose avec de vastes lucernaires.

La **catacombe de Domitille** est située sur la voie Ardéatine. Elle présente le même caractère grandiose que la précédente, avec une extension encore plus grande. Elle tire son nom de la martyre Flavia Domitilla, nièce de l'empereur Domitien et épouse d'un autre martyr de la persécution de la fin du Ier siècle, le consul Flavius Clemens (Eusèbe, *Histoire Ecclésiastique,* III, 18, 4). Les Flaviens, devenus chrétiens, avaient donné le terrain pour en faire un cimetière. On y trouve quatre noyaux souterrains très anciens, reliés entre eux par un réseau de galeries et dont un est improprement appelé *hypogée des Flaviens.* Ce dernier comprend une vaste galerie destinée à des sarcophages, une salle pour repas funéraires et un puits.

Ce qui frappe le plus le visiteur de cette catacombe, c'est la découverte inattendue d'une grande basilique à trois nefs, où la lumière du jour tombant d'en haut fait remarquer la profondeur à laquelle l'édifice a été creusé. C'est la basilique des saints Nérée et Achillée, deux soldats martyrs, honorés par le pape Damase d'une belle inscription que l'on peut lire auprès de l'entrée. L'autel fut placé juste au-dessus de la tombe et toutes les galeries environnantes furent détruites pour laisser place à la basilique construite entre 390 et 395. Dans une crypte, derrière l'abside, une fresque représente une autre martyre de la catacombe, sainte Pétronille, qui introduit une défunte dans le paradis. Le cimetière est riche de peintures et d'inscriptions très caractéristiques.

Le **cimetière de Priscille** est situé sur la via Salaria Nuova. Il est un des plus anciens et des plus vastes de Rome. Son nom lui vient de sa propriétaire, dont le souvenir est rappelé par une épitaphe qui lui décerne le titre de *clarissime,* caractéristique de la classe noble. La catacombe connut un développement grandiose aux IIIe et IVe siècles. Ici furent enterrés les martyrs Félix et Philippe, Crescentius, Prisque, Potentienne, Praxède, Fimitius et d'autres martyrs anonymes. S'y trouvaient également les papes Marcellin (296-308), Marcel (308-309), Sylvestre (314-335), Libère (352-366), Sirice (384-399), Célestin (424-432) et Vigile (537-555). Le réseau souterrain se développe sur deux plans, dont le plus ancien est le plus proche de la surface. On y découvre des peintures et des stucs de la plus ancienne période de l'art chrétien, qui représentent des épisodes de l'ancien et du nouveau Testament. On remarquera en particulier la fresque de la *fraction du pain,* qui fait allusion au miracle de la multiplication des pains et au banquet eucharistique. On peut dater de la première moitié du IIe siècle la plus ancienne figuration connue de

Le Christ parmi les douze apôtres, arcosole de la catacombe de Domitille

la Vierge Marie, qui est représentée en deux endroits: d'une part, avec l'enfant sur son sein et un prophète à côté d'elle, de l'autre, assise sur un trône, un ange devant elle, rappel évident de l'Annonciation. En abattant des murs de soutien de la galerie principale, on a aussi découvert des sépultures très anciennes, de simples fidèles pour la plupart. Un important cubicule de la fin du IIIe siècle est situé dans une autre zone; des scènes se rapportant au prophète Jonas, au sacrifice d'Abraham, aux trois enfants dans la fournaise et au Bon Pasteur, y sont représentées; une grande fresque qui couvre toute la paroi du fond représente peut-être la consécration *(velatio)* d'une vierge.

Il y a d'autres catacombes ouvertes au public auprès des basiliques suivantes: **Saint-Laurent hors les Murs** (via Ciriaca), avec le tombeau de ce diacre, gloire de l'Eglise pendant la persécution de Valérien; **Saint-Pancrace** (Porte Saint-Pancrace), avec la tombe du jeune saint protecteur des nouveaux convertis, qu'il n'est cependant pas possible d'identifier historiquement avec certitude; **Sainte-Agnès** (via Nomentana), avec l'ensemble cémétérial où fut déposée la jeune enfant de douze ans dont le martyre a tant ému les contemporains et les écrivains ecclésiastiques du IVe siècle.

Nous rappelons aussi, simplement pour les signaler à l'attention du lecteur, d'autres catacombes chrétiennes dignes d'attention, qui se trouvent dans la ville éternelle mais qui se sont généralement pas ouvertes au public.

Au début de la via Aurelia Antica, il y a, outre le cimetière de Saint-Pancrace déjà indiqué, le *cimetière de Calépode* (via di Vigna Armellini), le plus ancien de la chrétienté romaine du Transtévère; il s'y trouve la tombe d'un pontife romain la plus ancienne après celle de saint Pierre: celle de saint Calixte († 222).

Aux environs de la via Portuense, qui conduisait autrefois au port de Rome (auprès de l'actuel Fiumicino), il y a le *cimetière de Pontien* (via Alessandro Poerio), qui conserve une pièce caractéristique, peut-être un baptistère, ornée d'une fresque du baptême du Christ, et le *cimetière de Generosa* (via della Ma-

Basilique Saint-Laurent hors les Murs:
arc triomphal de la basilique de Pélage II

gliana), avec une importante fresque du VIIe siècle, représentant le Sauveur entre des martyrs.

Le long de la voie d'Ostie, on rencontre, outre le tombeau de l'apôtre Paul dans la basilique majeure du même nom, le *cimetière de Commodille* (via delle Sette Chiese), avec une curieuse petite basilique souterraine et des représentations du Christ et de la Vierge parmi des saints, du VIe siècle; et le *cimetière de Sainte-Thècle* (via Laurentina), dont l'importance vient de la magnifique architecture des cubicules creusés, ce qui est un cas unique, sous le niveau des galeries.

Sur la voie Ardéatine, nous trouvons, outre la catacombe de Domitille, le *cimetière de Basile ou des Saints Marc et Marcellien,* abondamment décoré d'épisodes bibliques; le *cimetière de Balbine* (ou du pape Marc, 336), au sujet duquel on ne peut établir s'il s'agit d'un noyau à part ou s'il doit être identifié avec le cimetière voisin anonyme appelé *cimetière des martyrs non identifiés,* qui est encore complètement à étudier.

La zone la plus riche en vieux cimetières chrétiens est celle qui environne l'ancienne voie Appienne, la *regina viarum,* qui était également bordée autrefois des splendides monuments funéraires des familles romaines les plus illustres. De part et d'autre de cette voie, on rencontre, outre les grandes catacombes de Saint-Calixte et de Saint-Sébastien, l'*hypogée de Vibia,* exemple intéressant de cimetière mixte, dans lequel les tombes chrétiennes côtoient les tombes païennes; le *cimetière de la « Sainte-Croix »,* ainsi appelé parce qu'il contient la peinture d'une croix caractéristique à quatre branches égales; le *cimetière de Prétextat* (via Appia Pignatelli), formé par l'union de diverses régions funéraires initialement indépendantes et riches de fresques bien conservées.

Aux alentours de la via Latina sont regroupés le *cimetière des Saints Gordien et Epimaque,* le *cimetière d'Apronianus* (via Cesare Correnti), et, plus important, l'*hypogée de la via Dino Compagni,* avec ses 13 cubicules et chambres funéraires, et ses fresques admirables qui décorent toutes les parois comme dans une moderne pinacothèque; plus loin, le *cimetière « ad decimum »,* ainsi appelé parce qu'il est situé au dixième mille de cette voie.

Aux abords de l'ancienne via Labicana sont situés: l'*hypogée des Auréliens* (via Luigi Luzzati), avec de grandes fresques toutes différentes de celles qu'on a l'habitude de voir dans les lieux chrétiens analogues; le *cimetière des Saints Marcellin et Pierre* (via Torpignattara), où furent ensevelis aussi les Quatre Saints Couronnés, Clément, Sempronius, Claude et Nicostrate; le *cimetière de Zotique* (via di Vermicino), petite catacombe de campagne au pied de la colline de Frascati.

On doit signaler, auprès de la via Tiburtina, en plus du cimetière de Cyriaque ou de Saint-Laurent, le *cimetière anonyme dit de Novatien* (viale Regina Margherita), où furent découverts entre autres quatre beaux sarcophages décorés; et le *cimetlère de Saint-Hippolyte,* dont le principal intérêt réside dans des inscriptions se rapportant à la possession de divers lieux de culte de Rome.

La via Nomentana rassemble à ses alentours, outre le cimetière de Sainte-Agnès, le *cimetière de Saint-Nicomède* (via dei Villini); le *cimetière Majeur* (via Asmara), ainsi appelé parce

Catacombe de Pamphile: galerie avec des loculi intacts

qu'il est plus grand que le cimetière contigu (le *Mineur*) découvert récemment. Dans le cimetière Majeur sont conservées de nombreuses « cathèdres » ou sièges taillés dans le tuf. Et enfin le *cimetière de Saint-Alexandre,* au VIIe mille de la via Nomentana, qui servit à la sépulture des chrétiens de l'actuelle Mentana et des autres agglomérations des environs de la ville.

L'ancienne via Salaria ainsi que la nouvelle conservent également nombre de vieux cimetières chrétiens, dont le plus important, celui de Priscille, a déjà été décrit. Nous rappellerons encore le *cimetière de Maxime* ou *de Sainte-Félicité* (via Simeto), avec d'intéressantes inscriptions; les *cimetières des « Giordani » et de Trason* (via Taro et via Yser); un *cimetière anonyme* (via Anapo), avec une représentation caractéristique du Christ entouré des douze apôtres; le *cimetière de Pamphyle* (via Giovanni Paisiello), dont les galeries (qui ont conservé pour la plupart de très nombreuses tombes intactes) sont les plus profondes de toutes les catacombes de Rome et présentent des inscriptions de grand intérêt; le *cimetière de Bassilla ou de Saint-Hermès* (via Bertoloni), avec une vaste basilique souterraine incorporée.

Enfin, au commencement de l'ancienne via Flaminia, il y a le *cimetière de Saint-Valentin,* dans l'actuel viale Parioli, qui comprend entre autres une importante basilique assez bien conservée.

Eglises nationales et universités pontificales

Rome, centre du catholicisme, ne peut pas ne pas offrir aux pèlerins et aux touristes, qui viennent de toutes les parties du monde, des églises où ils soient en mesure de se réunir pour prier, de célébrer l'Eucharistie et de trouver des prêtres de leur pays ou du moins qui parlent leur langue et puissent les assister spirituellement. Il y a là une exigence qui a toujours été ressentie, et de fait bon nombre de ces églises furent construites il y a fort longtemps, et certaines d'entre elles présentent d'ailleurs un grand intérêt du point de vue architectural et artistique.

Pour la commodité du lecteur, signalons les églises suivantes:

Langue allemande: S. Maria dell'Anima (via della Pace, 20).

Langue anglaise: S. Clément (via di S. Giovanni in Laterano, 45-47).

S. Isidore à Capo le Case (via degli Artisti, 41).

Notre-Dame du S. Sacrement et Martyrs Canadiens (via G. B. de Rossi, 46).

S. Patrice à Villa Ludovisi (via Boncompagni, 31).

S. Sylvestre (piazza San Silvestro).

Sainte-Suzanne (via Venti Settembre, 15).

S. Thomas de Cantorbéry (via di Monserrato, 45).

Langue croate: S. Jérôme (via di Ripetta, 181).

Langue espagnole: Sainte-Marie in Monserrato (via Giulia, 151).

N. D. de Guadalupe et S. Philippe Néri (via Aurelia, 675).

SS. Quarante Martyrs et S. Pascal Baylon (via S. Francesco a Ripa, 20).

Langue française: SS. Claude et André des Bourguignons (piazza San Claudio al Tritone).

S. Julien des Belges (via del Sudario, 40).

S. Louis des Français au Campo Marzio (piazza San Luigi dei Francesi).

Langue polonaise: S. Stanislas (via delle Botteghe Oscure, 15).

Langue portugaise: S. Antoine au Campo Marzio (via dei Portoghesi, 2).

Il y a également, à Rome, des églises dans lesquelles on célèbre en rite oriental. Signalons les principales:

Rite Arménien: S. Nicolas de Tolentino (via S. Nicola da Tolentino, 17).

Rite Byzantin-Roumain: S. Sauveur aux Coppelle (piazza delle Coppelle, 72-b).

Rite Byzantin-Russe: S. Antoine Abbé à l'Esquilin (via Carlo Alberto, 2).

Rite Grec-Byzantin: S. Athanase au Babuino (via dei Greci, 36).

Rite Grec-Melchite: Sainte-Marie in Cosmedin (piazza Bocca della Verità).

Rite Syro-Antiochien: Sainte-Marie au Campo Marzio (piazza Campo Marzio, 45).

Rite Syro-Maronite: S. Jean Marone (via Aurora, 8).

Eglise Sainte-Marie in Cosmedin

Plusieurs universités pontificales, destinées aux études ecclésiastiques et théologiques, ont leur siège à Rome. Ce sont:

L'*Université pontificale Grégorienne* et ses instituts: l'*Institut Biblique* et l'*Institut pour les Etudes orientales.* Ils sont confiés aux Jésuites et se trouvent piazza della Pilotta. L'Institut des Sciences orientales est situé au n. 7, place de Sainte-Marie Majeure.

L'*Université pontificale du Latran,* dont le corps enseignant est constitué de prêtres du clergé séculier et régulier, située 4, place Saint-Jean de Latran.

L'*Université pontificale Urbaniana,* qui confère aussi les grades de missiologie. Elle est située via Urbano VIII, n. 16.

L'*Université pontificale Saint-Thomas d'Aquin,* de l'Ordre des Frères Prêcheurs (Dominicains), a son siège au n. 1 du largo Angelicum.

L'*Athénée pontifical Saint-Anselme,* des Bénédictins, place des Chevaliers de Malte, n. 5.

L'*Athénée pontifical « Antonianum »,* dirigé par les Frères Mineurs (Franciscains), via Merulana, 124.

L'*Athénée pontifical Salésien,* qui comprend aussi l'*Institut supérieur pontifical d'Etudes latines.* Confiés aux Pères Salésiens, ils sont situés piazza dell'Ateneo Salesiano, 1.

Outre ces différents centres d'études, on peut signaler aussi la Faculté pontificale de Théologie de *Saint-Bonaventure* (via del Serafico, 1), de *Sainte-Thérèse de Jésus et Saint-Jean de la Croix* (piazza San Pancrazio, 5), et le *Marianum* (viale 30 aprile, 6). Il faut citer aussi l'Institut pontifical de *Musique sacrée* (piazza Sant'Agostino, 20), l'Institut pontifical d'*Archéologie chrétienne* (via Napoleone III, 1), l'Institut pontifical d'*Etudes arabes* (piazza Sant'Apollinare, 49) et enfin l'Institut pontifical *Regina Mundi,* pour la formation théologique des religieuses (lungotevere Tor di Nona, 7).

Il convient encore de mentionner les diverses Académies pontificales: l'*Académie romaine d'Archéologie,* l'*Académie romaine de saint Thomas d'Aquin et de la Religion catholique,* l'*Académie dei Virtuosi:* toutes les trois ont leur siège au Palais de la Chancellerie, sur la place du même nom. Citons encore l'*Académie théologique romaine* (place Saint-Jean de Latran, 4); l'*Académie de l'Immaculée* (piazza santi Apostoli, 51), l'*Académie mariale internationale* (via Merulana, 124); l'*Académie de Liturgie* (via Pompeo Magno, 21) et enfin le *Collegium Cultorum Martyrum* (via Napoleone III, 1).

Chapitre IV

LES MUSÉES DU VATICAN

L'origine des Musées du Vatican se situe sous Jules II (1503-1513), lorsqu'on commença à rassembler, dans le *cortile* du petit palais du Belvédère, d'importants monuments de la culture classique. Léon X (1513-1521) et Clément VII (1523-1534) enrichirent considérablement cette première collection. Clément XIV (1769-1774) et Pie VI (1775-1799) donnèrent une nouvelle disposition et un nouvel accroissement aux Musées et aux Galeries pontificales, si bien que l'ensemble des locaux qui leur sont affectés prit le nom de « Musée Pio-Clementino ». Pie VII (1800-1823) les agrandit considérablement en y ajoutant le Musée Chiaramonti, le Braccio Nuovo et la Galerie Lapidaire.

Grégoire XVI (1831-1846) fonda le Musée étrusque (1837) avec les objets trouvés dans les fouilles entreprises en 1828 en Etrurie méridionale; le Musée égyptien (1839), avec les monuments provenant des explorations faites en Egypte et ceux qui étaient épars dans les galeries d'art classique et au Musée du Capitole; le Musée profane du Latran (1843), avec des statues, des bas-reliefs et des mosaïques de l'époque romaine qui ne pouvaient trouver place dans le palais du Vatican. Auprès du Musée profane du Latran, Pie IX (1846-1878) fonda, en 1854, le Musée chrétien, qui comprend des sculptures, spécialement des sarcophages, et des inscriptions antiques; plus tard (1856-1869), il y ajouta deux salles de monuments provenant des fouilles d'Ostie, effectuées à la même époque. Par disposition de Jean XXIII (1958-1963), les Musées du Latran ont été transférés au Vatican, dans un nouvel édifice construit à cet effet; en 1970, ils ont été rouverts au public sous les dénominations de Musée Grégorien profane et de Musée Pio-chrétien.

Les Musées comprennent en outre: la Galerie des Tapisseries, où sont exposées des tapisseries des diverses manufactures du XVIe siècle; la Galerie des Cartes géographiques, instituée par Grégoire XIII (1572-1585) et complétée par Urbain VIII (1623-1644); les Salles des tableaux modernes et de l'Immaculée Conception; les Chambres et les Loges de Raphaël, commandées par Jules II (1503-1513) et Léon X (1513-1521); la Chapelle de Fra Angelico, peinte sous le pontificat de Nicolas V (1447-1455); la Chapelle Sixtine, ainsi appelée du nom de son fondateur, Sixte IV (1471-1484); l'Appartement Borgia, résidence d'Alexandre VI (1492-1503), restauré et ouvert au public par Léon XIII (1878-1903) en 1897; la Pinacothèque vaticane, autrefois située dans l'appartement de Grégoire XIII, à la troisième loggia, transférée par saint Pie X (1903-1914) dans la galerie aménagée au-dessous de la Bibliothèque, du côté des jardins, et en 1932 placée par Pie XI (1922-1939) dans un édifice spécial, près de la nouvelle entrée des Musées; le Musée missionnaire-ethnologique, fondé par Pie XI en 1926, situé précédemment aux étages supérieurs du palais du Latran, et transféré au Vatican par disposition de Jean XXIII; le Musée chrétien et le Musée profane de la Bibliothèque Apostolique vaticane.

L'entrée des Musées, des Galeries et autres locaux ci-dessus mentionnés se trouve, pour les visiteurs, viale Vaticano, avec cette inscription: « Musei Vaticani ».

Musée grégorien égyptien

La première collection d'antiquités égyptiennes au Vatican est due à Pie VI (1800-1823), qui l'avait acquise sur le conseil de Canova. A ce premier groupe vinrent s'ajouter les papyrus et les objets précieux apportés à Rome par les missionnaires franciscains. Le Pape Pie VII lui-même voulut que tout ce précieux matériel eût son propre local, qu'il fit aménager au-dessous du Musée étrusque et dont il confia l'organisation aux égyptologues P. Ungarelli et de Fabris. Sous le pontificat de Grégoire XVI (1831-1846), les travaux furent accélérés et menés à bonne fin, si bien que l'on doit à ce pontife l'ouverture du Musée, le premier de ce genre dans l'histoire. Toutefois le but que se proposa Grégoire XVI était surtout apologétique, et non purement culturel. Comme l'écrit le P. Ungarelli, le matériel collectionné présente en effet les vestiges de certaines traditions antérieures à la Révélation écrite à partir de Moïse, et de traditions communes au peup.e de l'Alliance et au peuple égyptien. Dans ce même Musée furent aussi regroupées les œuvres égyptiennes éparses dans Rome depuis l'époque impériale, et celles de la villa Adriana de Tivoli.

Le musée comprend dix salles. Les deux premières, en cours d'aménagement, reproduisent en vraie grandeur deux chambres funéraires de la *Vallée des Rois,* reconstituées ici pour créer une ambiance mieux adaptée à la présentation des objets authentiques.

La **première salle** reproduit un vestibule ruiné par le temps. Aux parois, des restes de peintures; on voit à droite le *serdab,* ou guérite, d'où on croyait que le défunt pouvait observer les visiteurs.

Escalier de Simonetti: niveau supérieur

La **seconde salle** reproduit une chambre supposée intacte, dans sa beauté originelle. Aux parois, les peintures (reproductions fidèles des originaux) illustrent la vie du défunt dans l'audelà. La vitrine du fond contient sept momies, autrefois dispersées à travers le musée. Sur la table des offrandes, qui fait le tour des trois quarts de la salle, est exposé le grand payrus du *Livre des Morts,* soigneusement restauré.

La **troisième salle** est celle **des imitations,** ainsi nommée parce qu'elle renferme des sculptures et des reliefs d'artistes romains des IIe et IIIe siècles, imités de l'art égyptien. Ces œuvres proviennent de la région de Tivoli. Les plus connues représentent le *Nil personnifié* et un *buste de la déesse Isis.*

La **quatrième salle** présente trois momies, deux statues colossales de la déesse Sekemet, et une statue mutilée. Une vitrine contient quelques momies d'enfants, différentes pièces de mobilier funéraire et quelques étoffes coptes avec des broderies de couleur.

Dans la **cinquième salle,** dite **de l'hémicycle,** plusieurs vitrines renferment des *cercueils de momies,* en bois, restaurés. On voit aussi la statue du dignitaire *Udjeharresnet,* d'un très grand intérêt à cause de la longue inscription gravée sur tout le vêtement. Remarquable aussi la statue dite *La bella,* et le *trône* d'une sculpture perdue de Ramsès II. Au centre de l'hémicycle se dresse la statue colossale de la *reine Twia,* mère de ce pharaon. Plus loin, on peut admirer la tête du pharaon *Mentuhotep,* le plus ancien portrait de pharaon du musée. L'inscription (du côté droit) étant mutilée, on ne peut déterminer de quel *Mentuhotep* il s'agit: la onzième dynastie (2033-1890 a. C.) a connu au moins cinq pharaons de ce nom.

Dans **les cinq petites « salles »** qui font suite à celle de l'hémicycle, l'on peut voir des *momies,* des *scarabées,* des *statues* de naophores d'époques diverses, et des *papyrus* de différents siècles, presque tous de caractère funéraire, contenant des formules et des prières du temps. Il s'agit de papyrus d'une grande valeur scientifique, en raison de l'écriture employée (hiéroglyphique et hiératique) et des variantes graphiques.

Statue de la Reine Twia

Musée Pio-Clementino

Le Musée Pio-Clementino fut fondé au cours des dernières décennies du XVIIIe siècle, afin de placer dignement les importantes sculptures qui avaient afflué au Vatican à partir du XVIe siècle. Clément XIV (1770-1774) décida de rassembler ces œuvres en un musée. L'organisation et la construction de ce « Musée pontifical » fut confiée aux architectes Dori, Simonetti et Camporese.

La nouvelle construction joignit l'aile occidentale de la bibliothèque à l'ancienne résidence d'été d'Innocent VIII. Plus tard, Pie VI (1775-1799) fit agrandir l'édifice, qui prit alors le nom de *Musée Pio-Clementino.*

Il comprend les édifices situés dans la zone nord du Vatican. La conception originale s'en est conservée jusqu'à maintenant. Les diverses salles du musée ont leur entrée dans le *vestibule des quatre grilles,* adjacent à la cour de la Pinacothèque.

Salle à Croix Grecque: d'une architecture harmonieuse et de style néo-classique, œuvre de Michel-Ange Simonetti (1780).

Sur les côtés, deux *sphinx couchés,* en granit rougeâtre, de l'époque romaine. Puis, deux grands *sarcophages* de porphyre: le premier, particulièrement important, est celui *de Constance* (ou Constantine), fille de Constantin le Grand (IVe s.); l'autre, celui *de sainte Hélène,* mère du même empereur. Certains pensent que ce dernier sarcophage aurait été préparé pour Constantin lui-même, comme semblent l'indiquer les hauts-reliefs représentant des scènes de bataille, les cavaliers romains fonçant sur des barbares enchaînés ou tombés. Au centre, mosaïque reproduisant un *bouclier* avec le *buste de Minerve* (IIIe s.). Deux *télamons,* ou cariatides, en granit rouge encadrent l'entrée de la salle suivante. Ces deux statues, d'imitation égyptienne, proviennent de la Villa Adriana, près de Tivoli.

Salle ronde: le chef-d'œuvre de Simonetti, inspiré du Panthéon. Des *mosaïques* antiques ornent le pavement. Au centre, une énorme *vasque de porphyre,* de 13 m. de diamètre, qui aurait appartenu à la *Domus Aurea* de Néron. Huit niches abritent des statues colossales de *divinités et de héros* divinisés, parmi lesquels on distingue le buste de la *femme de Trajan,* la statue de

Salle ronde, du Musée Pio-Clementino

Junon (IIe s.) et celle de l'*empereur Claude* sous l'aspect de Jupiter. Parmi les pièces les plus importantes, signalons une *statue d'empereur* sur le trône, Galba ou Nerva, qui doit remonter au Ier siècle. De grand intérêt aussi le *buste d'Antinoüs,* disparu dans les eaux du Nil en 130, et divinisé par les sujets d'Hadrien, désireux d'être agréables à l'empereur, qui avait assisté à la mort de son esclave préféré; la *statue d'Hercule* en bronze doré, que l'on peut dater du début du IIIe siècle. On pense que cette statue a été frappée par la foudre. Retrouvée en 1864, au cours des fouilles effectuées près du théâtre de Pompée, elle fut transportée au Vatican.

Salle des Muses: ainsi appelée à cause des *statues des Muses* qui y sont exposées. Sept de ces statues furent découvertes près de Tivoli en 1774, en même temps que la statue d'Apollon, qui peut être datée du début du IIIe siècle.

Hermès de Périclès

Cette salle est précédée et suivie de vestibules. La salle proprement dite est de forme octogonale, et ornée de 16 colonnes corinthiennes. A la voûte, des fresques de Sébastien Conca reproduisent Apollon et les Muses. Parmi les sculptures on remarque le buste, ou *hermès, de Périclès,* au casque corinthien, emblème des stratèges; des œuvres de grand prix, telles que *les bustes d'Antisthène et de Périandre.* A noter également, les *bustes d'Epicure* (mort en 270 av. J.-C., fondateur de l'épicurisme), du *poète Homère* (VIIIe s. av. J.-C.), de *Socrate* (mort en 399 av. J.-C.), de *Platon* (mort en 347 av. J.-C.) et d'*Euripide* (mort en 406 av. J.-C.).

Au centre de la salle des Muses se trouve maintenant le *Torse du Belvédère.* Il est l'œuvre d'un sculpteur du Ier siècle après J. C. qui a signé sur la face antérieure du rocher où est assis le personnage: « Apollonios, fils de Nestor, athénien ». Sur la roche est étendue une peau de bête dont l'extrémité avec la tête repose sur la cuisse gauche de la puissante figure. Jusqu'à

Torse du Belvédère

la fin du XIXème siècle, on pensait que cette figure représentait Hercule. Quand changea l'interprétation de la peau de fauve (identifiée non comme une peau de lion, mais de panthère), on proposa d'autres interprétations: Marsyas, Chiron, Polyphème, Philothète, pas plus convaincantes que la première. Il fut particulièrement admiré par Michel-Ange, comme cela se voit à travers de nombreuses figures de la Chapelle Sixtine.

Salle des animaux. Ici, l'œuvre que l'on tient généralement pour la plus importante est la *statue de Méléagre* avec le chien accroupi et la tête du sanglier qu'il vient de tuer. Ce groupe est une reproduction romaine du IIe siècle, d'après un original en bronze attribué à Scopas (IVe s. av. J.-C.).

A noter aussi le *crabe* en porphyre vert, pierre extrêmement rare.

On s'intéressera au *groupe de Mithra* immolant le taureau primitif (symbole de la force procréatrice): de son sang naît la création, ce que le scorpion, le serpent et le chien (symbole des esprits du mal) cherchent en vain à empêcher. L'œuvre est du second siècle après J. C.

Galerie des statues: transformée en galerie de sculpture sous Clément XIV, par l'architecte Dori (mort en 1772). Agrandie en 1776 par décision de Pie VI, elle fut reliée à la Salle des animaux; pour cela on dut malheureusement démolir une chapelle peinte à fresques par Mantegna.

Une des principales œuvres exposées ici est la statue d'*Apollon Sauroctone* (c'est-à-dire tueur de lézards), réplique de l'original en bronze de Praxitèle (350 ans av. J.-C.). Avec grâce et souplesse, le dieu, qui a l'aspect d'un jeune garçon, s'appuie contre un arbre et guette l'instant propice pour tuer le reptile.

Buste de Marc-Aurèle

Remarquables aussi la statue d'*Hermès,* copie romaine du IIe siècle; celle de l'*Amazone blessée,* copie de l'original en bronze, de Phidias (en 430 av. J.-C.); celle de l'*Eros de Centocelle,* célèbre copie d'un original grec du IVe siècle avant J.-C., et le *Satyre au repos,* autre copie célèbre d'un bronze de Praxitèle.

A l'extrémité de la galerie, la *Statue assise de l'endormie,* que l'on avait prise tout d'abord pour Cléopâtre. Il semble au contraire qu'il s'agisse d'Ariane abandonnée par Thésée.

Buste de Jules César

Salle des bustes: elle comprend trois parties, subdivisées par des arcs et des colonnes. C'est là qu'est placée la statue monumentale de *Jupiter sur le trône.* Le foudre symbolise la puissance du plus grand des dieux. L'œuvre rappelle l'original du Jupiter capitolin qu'Apollonios cisela dans l'or et dans l'ivoire au Ier siècle avant J.-C. Autour du dieu, des *bustes d'empereurs* romains et de différents personnages.

Cabinet des masques: son aspect actuel remonte à Pie VI. Cette salle tire son nom des quatre mosaïques insérées dans le pavement et qui représentent des masques de théâtre; ces mosaïques furent retrouvées en 1779 dans la villa de l'empereur Hadrien à Tivoli.

Le plafond est décoré de peintures à huile de Domenico de Angelis, inspirées de la mythologie antique.

On y trouve la *Vénus de Cnide,* importante réplique de la célèbre Aphrodite de Praxitèle (IVe s. av. J.-C.).

De la Villa Adriana également provient la *statue de Satyre* en marbre rouge située après les *trois grâces;* c'est une copie romaine du IIe siècle d'un original grec hellénistique de l'époque tardive.

On revient à la Salle des animaux, d'où, par une porte à gauche, en face de celle de la Salle des Muses, on entre dans la **cour de l'Octogone,** dérivée de la cour du *palazzetto* d'Inno-

Cour de l'Octogone

cent VIII (1484-1492) qui avait été construit par Jacopo da Pietrasanta d'après un projet d'Antonio del Pollaiolo; sous Clément XIV, en 1773, la cour du *palazzetto* fut complétée par Michelange Simonetti qui établit une loggia à colonnes avec à chaque angle un pavillon à coupole appelé aujourd'hui *Cabinet*.

L'ensemble est agrémenté d'une fontaine.

Le groupe le plus important exposé ici est celui du *Laocoon*, exécuté, d'après Pline (Hist. Nat. 36, 37), par les sculpteurs

Groupe du Laocoon

Statue de l'Apollon du Belvédère (détail)

rhodiens Agésandre, Athénodore et Polydore, qui fut retrouvé en 1506 sur l'Esquilin, dans la zone de la maison dorée. Laocoon, prêtre d'Apollon, et ses deux fils se trouvent sur les marches de l'autel au moment où ils sont happés dans les spires de deux serpents: un des serpents est sur le point de mordre Laocoon; le deuxième a déjà attaqué le plus jeune des fils, qui succombe de douleur, tandis que l'autre, encore indemne, cherche à s'enfuir. Ce châtiment est une vengeance de la déesse Athéna, irritée de ce que Laocoon ait mis en garde les Troyens contre le guet-apens du fameux cheval de bois. La datation de l'œuvre est incertaine, entre le IIIe siècle avant J. C. et 60 après J. C.

Dans un autre *Cabinet* est situé le célèbre *Apollon du Bel-*

Statue de l'Apoxyomène (détail)

védère. Les restaurations de cette statue faites par G. A. Montorsoli à la demande de Clément VIII — qui s'était d'abord adressé à Michelange — ont été partiellement supprimées en 1924-1925. Le dieu avance d'une allure légère, presque aérienne. D'une main il tient l'arc, emblème de la vengeance à distance, de l'autre, un rameau de laurier enrubanné, signe de la vertu purificatrice du dieu, qui peut encore éloigner le malheur. Sa splendide figure juvénile est devenue le radieux symbole de la sérénité et de la sublimité, d'où le terme d'apollinien. La statue remonte à l'an 130 et reproduit un original grec, en bronze, attribué au sculpteur Léocharès d'Athènes. L'Apollon du Belvédère fut retrouvé vers la fin du quinzième siècle, probablement aux environs de Saint-Pierre-aux-Liens.

Vient ensuite le *Cabinet du Persée,* brillante création de Canova (1800). L'œuvre a subi, on n'en peut douter, l'influence du classique, qui était de mode à l'époque et dont l'Apollon du Belvédère est le modèle exemplaire.

Dans le *Cabinet d'Hermès,* statue homonyme, que l'on prenait autrefois pour Antinoüs. C'est une copie romaine de l'époque impériale d'Hadrien, reproduisant un original grec du IVe siècle avant J.-C.; elle fut retrouvée près du château Saint-Ange. Le manteau de voyageur et la souplesse des mouvements symbolisent dans une plastique parfaite le messager des dieux (Hermès ou Mercure).

De la cour octogonale on arrive, par la porte opposée à celle de la Salle des animaux, dans le **Vestibule rond,** qui faisait partie autrefois de la villa d'Innocent VIII. On y admire l'athlète *Apoxyomène* (c'est-à-dire ôtant la poussière de son corps): c'est une copie de l'original en bronze, de Lysippe (environ 390-305 av. J.-C.) dont parle Pline l'Ancien dans son « Histoire naturelle » (34, 62). De retour de la palestre, l'athlète, tenant de sa main gauche le strigile, ôte de son bras droit la poussière mêlée de sueur qui s'est attachée à son corps. Ce n'est pas l'image du vainqueur sous les applaudissements de la foule, mais celle de l'athlète harassé qui paie de sa fatigue le prix de sa victoire.

Remarquable, l'autel d'Auguste (12 av. J.-C.), orné de bas-reliefs sur les quatre côtés.

Musée Chiaramonti

Ce Musée a pris le nom de son fondateur, le Pape Pie VII Chiaramonti (1800-1823). Il se divise en trois parties: le **Musée Chiaramonti** proprement dit, la **Galerie Lapidaire,** et le **Braccio nuovo.**

On doit à Bramante le projet de la première partie, qu'il réalisa aussi lui-même partiellement: elle unit le palais d'Innocent XI, déjà cité et appelé aussi Belvédère, au palais pontifical.

L'aménagement en est dû à Antonio Canova, qui s'y employa de 1807 à 1810.

Vue partielle du Musée Chiaramonti

Une série de pilastres divise les murs en 59 compartiments: trente à gauche, vingt-neuf à droite.

Un millier de sculptures antiques de divers types et de diverses qualités y sont exposées: originaux grecs, copies de statues de divinités et portraits, autels et décorations architechtoniques, urnes et sarcophages. A la demande de Canova, les peintres de l'Académie de Saint-Luc peignirent à fresques quinze lunettes pour illustrer l'activité du Pape en faveur de l'art.

La **Galerie Lapidaire** fut aménagée presque en même temps que le Musée Chiaramonti. Elle abrite une collection épigraphique commencée par Clément XI (1700-1721), qui n'a cessé de s'enrichir jusqu'à Pie VII. Elle comprend plus de 5000 inscriptions païennes et chrétiennes: les premières sont disposées sur le côté gauche, les secondes (provenant pour la plupart des catacombes), sur le côté droit.

Le **Braccio nuovo** fut conçu par Raphaël Stern en 1805-1806 mais construit seulement lorsque furent rapportées, en 1816, les sculptures enlevées par Napoléon en vertu du traité de Tolentino (19 février 1797). L'architecte mourut en décembre 1820

La galerie lapidaire

Le Braccio Nuovo du Musée Chiaramonti

et son œuvre fut achevée par Pasquale Belli. Pie VII l'inaugura en 1822. La galerie, qui mesure 70 m. de long sur 8 m. de large, relie les deux bras longitudinaux de la grande cour de Bramante. La conception architecturale comme la décoration du plafond et des parois sont imitées de l'antique et les œuvres exposées sont intégrées à cette ornementation. Le goût classique, en effet, ne concevait pas que les œuvres antiques puissent être convenablement exposées en dehors d'un cadre rappelant l'antiquité. Même le pavement en mosaïques est fait de panneaux anciens provenant d'une villa romaine située aux environs de Tor Marancia, sur la via Ardeatina.

Parmi les statues les plus connues, on compte le *Doryphore* (porteur de lance), copie exécutée durant la première période impériale, d'après un original en bronze attribué à Polyclète de Sycione (en 440 avant J.-C.). Pline l'Ancien se réfère à ce genre de sculpture lorsqu'il parle d'*Effigies Achillae* (représentations d'Achille). On remarquera aussi la *statue d'Auguste,* retrouvée dans la villa de Livie, à Prima Porta, sur la via Flaminia. L'empereur est représenté en militaire, la main droite levée pour prononcer un discours. La décoration de la cuirasse rappelle un événement historique de l'an 20 avant J.-C.: un Parthe restitue à un officier impérial les emblèmes d'une armée romaine, et le monde entier prend part à cet événement pacifique.

Deux autres statues célèbres méritent de retenir l'attention: le *Nil* et *Démosthène.* La première est reconnaissable au sphinx et au crocodile sculptés à ses côtés. Le dieu Nil est représenté comme un vieillard couché sur son manteau, tenant en main la corne d'abondance avec fleurs et fruits, symbole de la fécondité. Les seize petits amours placés à différentes hauteurs signifient les seize coudées de la crue du fleuve qui inonde et fertilise les campagnes. Sur la base, des reliefs reproduisent des scènes de la vie égyptienne et des scènes de chasse où des pygmées traquent des hippopotames et des crocodiles.

La statue de *Démosthène* occupe la dernière niche à gauche. On a pu l'identifier grâce à un buste provenant d'Herculanum, qui portait gravé à la base le nom du célèbre rhéteur. Elle se réfère probablement à un original en bronze datant de l'an 280 avant J.-C., placé dans l'*Agora* pour rappeler l'œuvre du grand orateur qui lutta avec ténacité pour la liberté et l'indépendance de la Grèce contre la Macédoine.

Bibliothèque Apostolique Vaticane: Salone Sistino

Bibliothèque Apostolique Vaticane

Ainsi que nous l'avons dit au chapitre I, la Bibliothèque Apostolique Vaticane a été fondée par Nicolas V (1447-1455).

Plus tard, Sixte IV (1471-1484) l'enrichit de nouvelles collections, et en confia la décoration et l'ameublement à Melozzo da Forlì et aux frères Ghirlandaio.

Sixte-Quint (1585-1590) lui donna une nouvelle impulsion et fit construire par Fontana la merveilleuse galerie actuelle, ainsi qu'une vaste salle et des locaux secondaires.

Pie XI (1922-1939), qui avait été Préfet de l'Ambrosienne à Milan et ensuite Préfet de la Vaticane, mit tous ses soins à doter la Bibliothèque de rayonnages modernes.

La Bibliothèque comprend la **Galerie Clémentine,** divisée en cinq sections à l'époque de Pie VI (1775-1799), et peinte par De Angelis, qui y représenta des *épisodes de la vie de Pie VII.*

La **Salle Alexandrine,** ainsi appelée parce que construite sous le pontificat d'Alexandre VIII, en 1690, fut décorée par le même De Angelis. Les fresques des parois représentent des *épisodes de la vie de Pie VI.*

A travers les **Salles Paulines,** voulues par Paul V (1605-1621), on arrive à la grande **Salle Sixtine,** construite sur l'ordre de Sixte-Quint, et ornée avec faste, de 1587 à 1589, sous la direction de l'architecte Domenico Fontana. C'est un vaste local à deux

Musée profane de la Bibliothèque: mosaïque romaine

nefs subdivisées par des pilastres. Dans les lunettes au-dessus des fenêtres, on peut voir reproduits les monuments de la vieille Rome sous Sixte-Quint. Les fresques des pilastres représentent les inventeurs de l'alphabet.

Les deux Salles qui suivent, voulues de même par Sixte-Quint, conduisent à la **Galerie d'Urbain VIII** (1623-1644), dans laquelle sont exposés, entre autres, d'intéressants instruments astronomiques.

Musée profane de la Bibliothèque

Il est constitué par une seule Salle, et comprend du matériel de provenance diverse, disposé d'une manière très caractéristique, c'est-à-dire à la manière d'un *médaillier.* On y conserve des sculptures, des statues et des ivoires de l'époque étrusque et de l'époque romaine. Entrepris sous Clément XIII, en 1767, il fut complété par Pie VI (1775-1799). A la voûte, fresque magnifique, représentant *Minerve et le Temps.*

A signaler aussi la *tête d'Auguste* et celle *de Néron,* l'une et l'autre de bronze, et une mosaïque romaine provenant de la villa de l'Empereur Hadrien à Tivoli (IIe siècle).

Musée chrétien de la Bibliothèque

Fondé en 1756 par Benoît XIV, il offre une intéressante collection des arts mineurs chrétiens. Sa réorganisation est due à Pie XI (1922-1939).

Dans **la Chapelle de saint Pie V** (1566-1572), on admire un autel orné d'une parure richement brodée; sur les parois, des fresques de Jacopo Zucchi (1541-1590) représentant des épisodes de la *vie de saint Pierre de Vérone,* martyr dominicain; dans une vitrine, des objets sacrés conservés précédemment dans la chapelle du *Sancta Sanctorum* au Latran.

Dans la **salle suivante,** dite **des parements,** se trouvent des

Musée chrétien de la Bibliothèque: croix-reliquaire, avec des scènes du Nouveau Testament

ornements sacrés offerts à Clément VIII (1592-1605) par le grand-duc de Toscane.

Il faut mentionner particulièrement les salles qui conservent les plus anciens souvenirs chrétiens, provenant des catacombes, ainsi que d'intéressants papyrus et des expressions d'hommage adressées à divers Pontifes.

Dans la **troisième salle,** précieuses collections d'ivoires byzantins et d'émaux du moyen âge. Sur la paroi du fond, fragment de mosaïque, provenant du triclinium de Léon III (795-816), au Latran, représentant la tête d'un apôtre.

Fresque des Noces Aldobrandines (détail)

Dans la **Salle des Noces Aldobrandines,** on contemple les célèbres fresques du même nom retrouvées à Rome dans la zone de l'Esquilin, à la fin de l'année 1604. C'est l'une des plus belles peintures de l'époque d'Auguste, reproduisant une cérémonie nuptiale et ses préparatifs.

Sur les parois ont été placées des épisodes de l'*Odyssée* retrouvés aussi sur l'Esquilin en 1848, et *les héroïnes de Tor Marancia,* retrouvées sur la via Ardeatina, près des catacombes de Domitille, en 1816.

Le pavement est orné de mosaïques antiques.

Appartement Borgia

Dans cet appartement habita et mourut le Pape Alexandre VI Borgia (1492-1503). Il est situé au-dessous des Chambres de Raphaël, et occupe le premier étage de ce qui fut le palais de Nicolas V (1447-1455). Il se compose de six pièces. Une partie de la construction a l'aspect d'une forteresse médiévale. En effet, les deux premières salles, appelées des « Sybilles » et du « Credo », sont situées dans la **Tour Borgia.**

Pinturicchio (1454-1513) a décoré de fresques tout l'appartement, en y représentant des *scènes de l'histoire sacrée et de la mythologie.* Les décorations de stucs en relief sont du même auteur.

La **première salle,** dite **des « Sybilles »** tire son nom des douze demi-figures de sybilles que l'on voit aux lunettes de la voûte, chacune à côté d'un prophète. Ces fresques, qui ne sont pas de Pinturicchio, symbolisent l'union du monde hébraïque et du monde païen dans la commune attente du Messie.

Dans la **seconde salle,** dite **du « Credo »,** les *prophètes* et les *apôtres* sont représentés ensemble, deux à deux, pour témoigner de la continuité entre l'Ancien et le Nouveau Testament. Il semble que les peintures aient été exécutées par Antonio de Viterbe, dit Pastura († 1516), mais d'après les dessins de Pinturicchio. La Salle tire son nom des rouleaux que tiennent en main les douze apôtres et sur lesquels sont inscrits les articles du *Credo.*

La **troisième salle** est celle **des « Arts Libéraux ».** C'était le bureau d'Alexandre VI. Les fresques des lunettes glorifient les arts et les sciences, qui sont représentés par des figures allégoriques féminines, assises sur des trônes dorés. Il semble qu'elles soient aussi de Pastura. Remarquable, la décoration des voûtes, où les stucs dorés alternent avec les emblèmes héraldiques des Borgia.

Dans la **quatrième salle,** dite **de la « Vie des saints »,** sont représentés des épisodes attribués à quelques saints. C'est le chef-d'œuvre de Pinturicchio. Les fresques les plus admirées sont celles de la *dispute de sainte Catherine d'Alexandrie* avec les

Pinturicchio, la visite des Mages

philosophes; celle de la *visite de saint Antoine, abbé, à saint Paul, ermite,* dans le désert; et celles de la *Visitation* et du *martyre de saint Sébastien.*

La **cinquième salle** est celle **des « Mystères de la Foi »** décorée de grandes lunettes peintes à fresques et représentant des *épisodes de la vie du Christ et de la Vierge:* Annonciation, Nativité, Epiphanie, Résurrection, Ascension, Pentecôte, Assomption. Remarquer le *portrait du pape Alexandre VI,* agenouillé devant le Christ ressuscité; il est sûrement de la main de Pinturicchio.

La **sixième salle** est dite **des « Pontifes »:** c'est la plus vaste, elle servait pour les audiences solennelles. Les décorations et les ornements de la voûte apparente ont été exécutés par Giovanni da Udine et Perin del Vaga, élèves de Raphaël, à la demande de Léon X (1513-1521).

Les stucs qui décorent la Salle représentent le thème, fréquent à l'époque, des signes du zodiaque et des constellations.

Chapelle Sixtine

La Chapelle Sixtine, dédiée à l'Assomption de la Sainte Vierge, fut construite de 1475 à 1482 par Giovannino dei Dolci, d'après le dessin de Baccio Pontelli et sur l'ordre de Sixte IV (1471-1484), d'où son nom. La Sixtine est la chapelle officielle des Papes, dans laquelle se réunissent les conclaves pour l'élection des Papes, et où l'on célèbre certaines cérémonies. La *tribune des chantres* et la *balustrade* en marbre sont l'œuvre de Mino da Fiesole (1431-1484) et d'autres artistes du XVe siècle.

Les douze fresques qui ornent les murs latéraux représentent des scènes de la vie de Moïse et de la vie du Christ. Les épisodes relatifs à la vie de Moïse, situés sur la paroi de gauche à partir de l'autel, sont les suivants: *le voyage en Égypte*, du Pérugin (1445-1523); la *vocation de Moïse,* de Sandro Botticelli (1445-1510); le *passage de la Mer Rouge,* de Cosimo Rosselli (1439-1507); *Moïse recevant les Tables de la Loi,* de Rosselli; le *châtiment des fils de Coré,* de Botticelli; le *testament et la mort de Moïse,* de Luca Signorelli (1441-1523). Sur la paroi opposée, les scènes de la vie de Jésus: le *baptême du Christ,* œuvre signée du Pérugin; la *tentation de Jésus* et *la guérison du lépreux,* de Sandro Botticelli; l'*appel des premiers apôtres,* de Domenico Ghirlandaio (1449-1494); le *Sermon sur la Montagne,* de Rosselli et de Piero di Cosimo (1461-1521); le *Christ remettant les clefs*

Chapelle Sixtine: intérieur

Botticelli: Moïse et les filles de Jéthro (Chapelle Sixtine)

à saint Pierre, le chef-d'œuvre du Pérugin; la *Dernière Cène,* encore de Cosimo Rosselli.

Les fresques de la voûte, peintes par Michel-Ange, de 1508 à 1512, sur l'ordre de Jules II (1503-1513), représentent des épisodes de la *Genèse.* A partir de l'autel: *Dieu séparant la lumière des ténèbres,* représentation presque immatérielle de l'Esprit créateur; *la création du soleil, de la lune et des plantes;*

la séparation de la terre et des eaux; la création de l'homme, ou plutôt *le don de la vie spirituelle dans le corps déjà formé, par l'approche du doigt de Dieu et de celui d'Adam; la création de la femme; le péché originel et l'expulsion du paradis terrestre,* composition dramatique en tryptique; *le sacrifice de Noé; le déluge universel,* avec des scènes d'épouvante qui mettent en relief la volonté de survivance des hommes; enfin, *l'ivresse de Noé.*

Chaque rectangle secondaire de la voûte porte aux angles quatre figures nues qui semblent commenter par leurs gestes l'événement décrit dans la fresque.

Le long de la voûte sont représentés alternativement un prophète et une sybille; on remarquera Jérémie pleurant sur le destin futur de Jérusalem.

Aux angles de la voûte sont peints quatre épisodes de l'Ancien Testament: le *supplice d'Aman,* le *Serpent d'airain, Judith et Holopherne, David et Goliath.*

Sur la paroi du fond, derrière l'autel, fresque du **Jugement dernier.** Elle fut exécutée sous Paul III, de 1535 à 1541, c'est-à-dire environ trente ans après les fresques de la voûte, alors que Michel-Ange avait plus de soixante ans.

Les critiques ont observé que dans les fresques de la voûte Michel-Ange participe au devenir plus ou moins heureux de l'humanité sur cette terre, mais que dans sa composition du jugement la préoccupation des problèmes ultimes posés par la religion l'emporte sur celle de l'art. Ici, le contenu compte davantage que la forme, dans une adhésion respectueuse à la doctrine catholique: toutefois l'art et la foi se rejoignent en une inexprimable synthèse.

Dans cette composition, le Christ domine comme juge, avec une attitude de condamnation envers les réprouvés, dont le visage trahit l'intense douleur et l'effroi, tandis qu'ineffable est la joie

Michel-Ange, voûte de la Chapelle Sixtine

des sauvés. Cette scène occupe une superficie de plus de deux cents mètres carrés et compte plus de 390 figures dont beaucoup dépassent 2 mètres de hauteur.

Parmi les représentations les plus importantes que comporte cette œuvre grandiose, signalons: la Vierge; saint Jean-Baptiste; saint André, avec sa croix typique; saint Pierre tenant les clefs, symbole de son pouvoir suprême, et, à ses côtés, saint Paul. Aux pieds du Christ, saint Laurent avec le gril; saint Barthélemy tenant lui-même sa propre peau écorchée, dans les plis de laquelle apparaît l'autoportrait de Michel-Ange. A gauche de ce groupe, les saintes femmes; à droite, des figures d'hommes parmi lesquels on distingue Simon le Cyrénéen portant la croix du Sauveur; Dismas, le bon larron, portant la sienne; de nombreux martyrs, comme sainte Catherine, avec la roue, et saint Sébastien dans l'acte de bander l'arc. Au-dessous et à gauche on admire les ressuscités montant au ciel et les anges qui sonnent de la trompette; à droite, les damnés sont précipités dans l'enfer. Impressionnante, la figure du *Désespéré* qui scrute l'abîme d'un seul œil et se couvre l'autre de la main. Dans la partie inférieure, à gauche, la résurrection des morts; au centre, une caverne pleine de démons, et, à droite, l'entrée de l'enfer avec la barque de Charon (en référence à Dante) et Minos, juge infernal, que Michel-Ange a représenté sous les traits de messer Biagio Martinelli da Cesena, maître des cérémonies de Paul III, ajoutant au prototype dantesque deux longues oreilles d'âne, parce qu'il s'était permis de critiquer son œuvre.

Le Jugement dernier de la Chapelle Sixtine est le *Dies irae* de la Renaissance parvenue à son crépuscule, et en même temps le manifeste artistique le plus grandiose de la Réforme catholique, voulue avec ténacité par Paul III, et réalisée par le Concile de Trente (1545-1563) que lui-même convoqua.

Michel-Ange, le Jugement dernier
(paroi de l'autel de la Chapelle Sixtine,
détail avec le Christ Juge)

Les Chambres de Raphaël

Vers la fin de l'année 1508, Jules II (1503-1513) confia à Raphaël (1483-1520), qui avait alors vingt-cinq ans, la décoration de son appartement au Vatican, appelé maintenant *Chambres de Raphaël.* L'artiste y travailla de 1508 jusqu'à sa mort.

La **première salle,** qui est d'ailleurs la dernière peinte par Raphaël (1514-1517) et quelques-uns de ses disciples, offre la vision dramatique de l'*Incendie du Borgo;* c'est la représentation d'un épisode d'après lequel, selon une source médiévale, Léon IV (847-855) aurait éteint avec le signe de la croix de violentes

Raphaël, Incendie du Borgo (détail)

flammes qui s'étaient développées au Borgo Santo Spirito, à Rome. La scène s'inspire de l'incendie de Troie décrit par Virgile dans l'Enéide.

La *Justification de Léon III* (795-816) relate l'épisode de la justification spontanée faite par ce Pontife dans la basilique médiévale de Saint-Pierre contre les calomnies de ses adversaires.

Les critiques s'accordent à ne pas attribuer à Raphaël le *Couronnement de Charlemagne,* en raison de sa moindre qualité et de quelque tendance au maniérisme. Dans les deux dernières compositions, l'artiste a donné au pape Léon III les traits de Léon X (1513-1521), son protecteur, et à l'empereur Charlemagne ceux de François Ier (1515-1547).

La décoration de la voûte est l'œuvre du Pérugin (1445-1523), que Raphaël conserva par amour pour son vieux maître. Il s'était proposé de glorifier Léon X dans l'exaltation des œuvres accomplies par ses prédécesseurs homonymes: Léon III et Léon IV.

La **Chambre de la Signature** devait être le bureau et la bibliothèque privée de Jules II; c'est attesté par les thèmes des fresques, qui représentent les trois idées fondamentales du Vrai, du Bien, du Beau.

La *Dispute du Saint-Sacrement* est la première des grandes fresques exécutées par Raphaël au Vatican. Le sujet pourrait être défini ainsi: *La glorification du catholicisme qui glorifie la Sainte Eucharistie.* Le ciel et la terre s'unissent à la Trinité dans le mystère central de la Transsubstantiation. La fresque montre de plus l'union de l'Eglise pérégrinante et de l'Eglise triomphante.

Nous trouvons dans cette œuvre divers portraits: Dante, Savonarole, Fra Angelico, Bramante. Par ailleurs, le nom de *dispute* est impropre. Il serait plus exact de dire *Triomphe de l'Eglise.*

L'*Ecole d'Athènes* illustre une rencontre imaginaire des philosophes les plus célèbres de l'antiquité. Elle est présidée par Platon et Aristote. Ici encore on trouve plusieurs portraits: Léonard de Vinci pour Platon, Bramante pour Euclide; à côté de lui, à droite, Raphaël lui-même; au premier plan, on remarque le visage de Michel-Ange, sous les traits d'Héraclite, le philosophe pessimiste.

Raphaël, l'Ecole d'Athènes (détail)

Dans la même fresque, trois vertus cardinales: la Force, la Prudence, la Tempérance, tranchent par leurs vives couleurs dans la lunette de droite et symbolisent le contenu moral de la Loi.

Autre merveilleuse création de Raphaël: la fresque du *Parnasse* (1511). Au sommet, Apollon joue de la lyre à l'ombre des lauriers. Autour de lui, les Muses écoutent. Parmi les poètes qui y sont représentés, nous reconnaissons entre autres Homère, Virgile, Dante et Pétrarque.

Au-dessous, deux scènes en clair-obscur représentent *Auguste, qui empêche les amis de Virgile de brûler l'Enéide, et Alexandre qui fait déposer dans le tombeau d'Achille les poèmes d'Homère.*

Raphaël, Héliodore chassé du temple (détail)

Dans les fresques de la voûte, Raphaël a personnifié les Sciences et les Arts, entre autres la *Théologie,* sous forme de figure féminine, vêtue de rouge, voilée de blanc et portant un manteau vert: ces couleurs indiquant les trois vertus théologales (foi, espérance et charité); la *Justice,* tenant en main une balance; la *Philosophie,* dans laquelle sont symbolisés quatre éléments: l'air, couleur d'azur; puis le feu, couleur rouge; la mer, couleur verte; la terre, couleur brune; la *Poésie,* vêtue de bleu, qui tient un livre de la main droite, et de la main gauche, un instrument de musique. Aux angles de la voûte, on admirera le *péché originel,* le *jugement de Salomon,* l'allégorie du *Premier moteur du monde* et enfin la rivalité entre Apollon et Marsyas avec le *supplice de Marsyas.* Dans le pavement, les blasons de Nicolas V (1447-1455) et de Léon X (1513-1521).

La **Chambre d'« Héliodore »** fut peinte entre 1512 et 1514. On y admire les nouveaux essais coloristes réalisés par Raphaël; le thème décrit les interventions miraculeuses de Dieu en faveur de son Eglise.

Héliodore chassé du temple, aux tonalités fortes et dramatiques, évoque la croisade de Jules II contre les étrangers en Italie.

Sur la paroi de l'entrée, une magnifique peinture montre *Léon Ier* (440-461) *arrêtant l'invasion d'Attila,* allusion, peut-être, à la bataille de Ravenne (11-4-1512), à laquelle assista le cardinal Giovanni de' Medici — futur Léon X — et après laquelle les Français quittèrent l'Italie. Au premier plan, Léon Ier avance avec une dignité sereine, monté sur une mule blanche, et suivi de deux cardinaux. Il est représenté sous les traits de Léon X.

A droite, le *Miracle de Bolsena* (1263), où l'on vit du sang couler de l'Hostie consacrée. Ce miracle donna lieu à la Bulle d'Urbain IV (11-8-1264) instituant la « Fête-Dieu ».

Cour Saint-Damase avec vue extérieure sur les trois loggias

Sur la quatrième paroi domine la *Délivrance de saint Pierre*. L'apôtre est conduit hors de la prison par un ange, et passe entre les gardiens endormis. Splendides effets de lumière, produits par la lune et émanant de la figure angélique.

Les Loges de Raphaël

La **Salle de « Constantin »** fut peinte par les élèves de Raphaël après sa mort (1520). Elle tire son nom des grandes fresques qui illustrent les épisodes les plus marquants de la vie de l'empereur Constantin, comme son baptême et sa victoire sur Maxence au pont Milvius.

L'*Apparition de la Croix,* de Giulio Romano († 1546), mérite d'être signalée particulièrement.

Loges de Raphaël

Les loges de la cour Saint-Damase, dont celles de Raphaël constituent le deuxième étage, furent commencées par Bramante, en 1512, sur l'ordre de Jules II. Elles furent terminées par Raphaël, en 1519, peu avant sa mort. La partie décorative, exécutée sur ses dessins, est l'œuvre de divers disciples.

La seconde loggia était réservée à Léon X qui y conservait sa collection d'antiquités.

Les œuvres les plus remarquables sont les peintures qui représentent des *scènes de l'Ancien et du Nouveau Testament:* cinquante-deux scènes. Les parois sont chargées de riches décorations à stucs, imitant les exemplaires romains récemment découverts dans la « Domus Aurea » que Giovanni de Udine réussit à reproduire en utilisant un mélange de chaux et de poudre de marbre.

Chapelle de Nicolas V (dite de l'Angelico)

Bien qu'elle soit dédiée à saint Etienne et à saint Laurent, cette chapelle porte le nom de l'Angelico parce qu'elle a été décorée (1448-1450) par Giovanni da Fiesole dit le « Beato Angelico » (1400-1455), sur ordre de Nicolas V.

Les fresques murales, en deux suites superposées, représentent des scènes de la vie des deux diacres martyrs. Sur le ciel étoilé de la voûte, parmi les nuages, trônent les quatre *Evangélistes.*

Aux pendentifs des pilastres, plusieurs *Docteurs de l'Eglise:* saint Jean Chrysostome, saint Grégoire, saint Augustin, saint Thomas d'Aquin.

Parmi les scènes de la vie de saint Etienne (rang supérieur), citons la *Dispute avec les juges devant le Conseil des Anciens* et la *Lapidation.* De la vie de saint Laurent (rang inférieur), on admirera la *Réception du diaconat conféré par le pape Sixte II* (257-258), où ce Pape est figuré sous les traits de Nicolas V; *Saint Laurent en prison convertit son gardien; Martyre sur le gril ardent.*

Le pavement, en marbre, est orné des signes du zodiaque et du soleil.

Cette chapelle, qui est une des œuvres les plus précieuses de la Renaissance, offre une excellente vision du style très particulier de Fra Angelico, empli de noblesse et d'une intensité toute mystique.

Salle de l'Immaculée

Aménagée entre les deux étages primitifs de la Tour Borgia cette salle, dite de l'Immaculée, fut décorée par Podesti (1800-1895) de fresques relatives à la *proclamation solennelle du dogme de l'Immaculée Conception* par Pie IX le 8 décembre 1854.

Sur les parois entre les fenêtres, les *Sibylles* qui ont, selon une antique et pieuse tradition, prophétisé la divine maternité de Marie; dans les médaillons de la voûte, des *épisodes de la vie d'Esther et de Judith,* et des figures allégoriques de la *Foi* et de la *Théologie.*

Au centre de la salle, le modèle en bois de la *coupole de Saint-Pierre* construit par Michel-Ange entre 1556 et 1560, avec les modifications apportées dans la calotte externe par J. della Porta.

Galerie des cartes géographiques

Galerie des cartes géographiques

Il s'agit d'un long couloir (120 m. × 6) construit par Ottaviano Mascherino sous Grégoire XIII (1572-1585). Ce Pape en fit orner les parois de cartes géographiques de toutes les régions d'Italie et du territoire d'Avignon, qui appartenait à l'époque au Siège apostolique.

On y trouve aussi des fresques de moindre importance représentant entre autres la victoire de Lépante et les îles Tremiti, les ports de Gênes, de Venise, d'Ancône et de Civitavecchia.

Les vraies cartes géographiques sont au nombre de 32: à gauche les régions tyrrhéniennes, à droite celles de l'Adriatique. Elles sont égayées des faits historiques les plus notoires qui se passèrent dans les diverses régions.

Cette galerie offre la plus importante entreprise cartographique de la Renaissance. L'auteur, en est Ignazio Danti de Pérouse, à la fois cosmographe et peintre, qui y travailla de 1580 à 1583.

Stucs dorés et scènes historiques ou allégoriques ornent la voûte en berceau, œuvre de Cesare Nebbia et d'autres artistes sous la direction de Muziano (1528-1590). Cette décoration subit des retouches sous Urbain VIII (1623-1644).

Galerie des tapisseries

Elle renfermait autrefois les célèbres tapisseries exécutées sur cartons de Raphaël qui se trouvent maintenant à la Pinacothèque vaticane.

Les tapisseries que l'on y voit encore sont celles dites de la *nouvelle école,* qui furent tissées après la mort de Raphaël, sur des cartons de ses élèves.

On verra aussi dans cette galerie toute la série représentant la vie d'Urbain VIII, de la manufacture Barberini.

Galerie des candélabres

Cette galerie doit son nom aux splendides candélabres antiques, en marbre, adossés au prolongement des arcs de la voûte. Elle se trouve dans l'aile occidentale de la cour du Belvédère; projetée par Bramante, elle fut construite sous Pie V et Grégoire XIII.

L'intérieur, tel qu'il se présente aujourd'hui, est dû à Pie VI, qui en confia les plans à Simonetti et à Camporese. Longue de 80 mètres environ, elle est divisée en six compartiments dessinés par des colonnes et les fameux candélabres. Les voûtes ont été décorées par Domenico Torti et par Ludovico Seitz (1833-1887) de sujets se rapportant au pontificat de Léon XIII (1878-1903).

Quatre grands candélabres récupérés au XVIIe siècle près de la basilique Sainte-Agnès sur la via Nomentana, furent placés dans la Galerie par Clément XIV (1769-1774). Ils comportent une base à trois faces, un fût de style végétal ou floral, une coupe très évasée qui constitue le brasero proprement dit. Il s'agit apparemment d'œuvres remontant au Ier-IIe siècle après J.-C.

Parmi un grand nombre de *bibelots,* noter en particulier la statuette de *Nikè* (Victoire) appuyée sur un trophée, la jambe droite sur la proue d'un navire. C'est une œuvre de l'époque impériale, tirée d'un modèle grec du IIe siècle avant J.-C., exécutée sans doute en mémoire d'une victoire navale.

Salle du bige

Au-dessus du *vestibule des quatre grilles* se trouve la Salle du bige, édifiée par Camporese à la demande de Pie VI (1775-1799).

Au centre est exposé un magnifique char antique, ou *bige,* reconstitué par Franzoni (1788), qui utilisa pour la caisse du char et une partie du cheval de droite les fragments d'une œuvre du

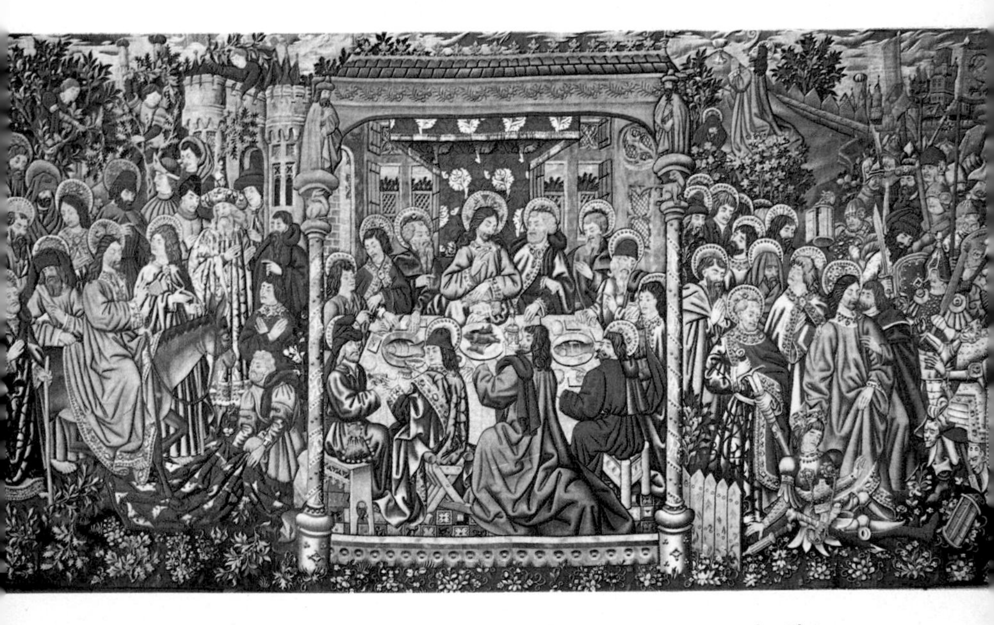

Tapisserie représentant des scènes de la Passion du Christ; manufacture de Tournay, XVe siècle

Salle du bige

Ier siècle après J.-C., seuls éléments vraiment antiques. Cette caisse servait de siège épiscopal dans la basilique Saint-Marc à Rome.

Musée grégorien-étrusque

Fondé par Grégoire XVI en 1837, le musée grégorien-étrusque rassemble des pièces provenant en grande partie des nécropoles de l'Etrurie méridionale. Son histoire comprend deux périodes, en fonction de l'histoire de l'Etat pontifical: la première, jusqu'à la moitié du dix-neuvième siècle, est caractérisée par l'acquisition de matériel provenant des fouilles exécutées à cette époque; la seconde, de la moitié du dix-neuvième siècle à nos jours, est marquée par l'acquisition ou le don de collections déjà constituées. La découverte de la *tombe Regolini-Galassi* à Cerveteri est significative de la première période et la donation au Saint-Siège, en 1967, par M. Astarita d'une *collection* exceptionnelle *de céramiques* ainsi que d'antiquités mineures grecques et italiques, de la seconde.

Les dix-huit salles de ce musée abritent en outre: une importante collection de *vases grecs et italiotes* (c'est-à-dire fabriqués dans l'Italie méridionale hellénisée **(Salles 14-18)** et une autre, plus modeste, d'antiquités romaines **(Salle 8)**.

Dans les petites **salles 11-12,** on a en outre réuni récemment quelques *sculptures originales grecques* autrefois dispersées

Exekias,
Amphore avec Achille et Ajax jouant à la mourre

parmi les sculptures romaines dans les différentes galeries du musée.

Dans la *seconde salle* se trouve le matériel recueilli dans la fameuse *tombe Regolini-Galassi*, découverte à Cerveteri en 1836. Il s'agit d'une tombe à tumulus avec corridor et chambrettes latérales, qu'on peut dater dans l'ensemble vers 675-650 avant J.-C. Elle contenait trois lieux funéraires: deux à inhumation

Statue du Mars de Todi

Stèle du Palestrite

(un homme dans la partie centrale et une femme dans la partie du fond) et une à crémation (un homme dans la chambrette de droite).

En face du passage de la *salle III*, dite *des Bronzes*, à la *salle IV*, dite *des Urnes*, on admire le *Mars de Todi*, statue votive d'un guerrier en train d'accomplir une libation, avec une inscription dédicatoire ombrienne sur la cuirasse (fin du Ve siècle av. J.-C.).

Au centre de la *salle XVI* est exposée la splendide *amphore à figures noires* où sont représentés Achille et Ajax jouant à la mourre. C'est une œuvre signée du potier et peintre athénien Exekias, dont l'activité se situe aux alentours de 550-525 avant J. C.

Dans le seconde section de la **salle XII** est exposée la *Stèle du Palestrite,* bas relief sépulcral attique de la moitié du Ve siècle avant J. C. Comme d'autres bas-reliefs de cette époque ayant la même destination et de même conception, la représentation du défunt dans ses occupations journalières, ici un jeune athlète auquel un enfant présente l'huile et les strigiles après l'entraînement dans la palestre, suggère l'expression d'un sobre adieu.

La Pinacothèque

Le siège actuel de la Pinacothèque vaticane fut érigé par Pie XI (1922-1939), qui en confia la construction à l'architecte Luca Beltrami dans le style de la Renaissance lombarde. Il fut inauguré le 22 octobre 1932.

Mais la fondation d'une première pinacothèque remonte à Pie VI (1775-1799). Par suite du traité de Tolentino (19-11-1797) les tableaux plus importants durent être cédés à la France; cependant, en 1816, comme clause du Congrès de Vienne, 57 toiles sur les 133 abandonnées furent récupérées et restituées à leurs légitimes propriétaires avec charge de *les exposer à la jouissance du public.* Conformément à cette disposition, Pie VIII (1829-1830) installa la Pinacothèque, qui comptait alors 44 tableaux, dans l'Appartement Borgia. Puis elle fut successivement transférée dans plusieurs locaux du Palais apostolique jusqu'au jour où

Giotto, Polyptyque Stefaneschi (revers)

Pie XI lui assigna son siège actuel. Aux 270 œuvres qui la constituaient alors, ce même Pape en joignit 183 autres retirées des Appartements du Vatican, de la Villa pontificale de Castelgandolfo et de la sacristie de Saint-Pierre.

Pie XII (1939-1958) devait l'enrichir d'une section d'œuvres contemporaines.

A l'entrée du vestibule, le buste de Pie XI.

La **salle I** est consacrée à la peinture des XI, XII, XIII et XIVᵉ siècles. A distinguer entre autres: le *Christ bénissant*, d'école romaine, qui remonte au XIIᵉ siècle, et un portrait de *saint François d'Assise*, signé de Margaritone d'Arezzo (XIIIᵉ siècle).

Le *Jugement dernier,* école romaine du XIe siècle. La *Madone avec quatre Saints* est de Giovanni Bonsi, XIVe siècle.

Dans la **salle II** sont placées des peintures dont le plus grand nombre sont du XIIIe siècle et quelques unes du début du XIVe. On remarquera particulièrement le *Rédempteur bénissant* par Simone Martini (1285-1344); la *Vierge du Magnificat,* par Bernardo Daddi (XIVe siècle); la *Vision de saint Thomas d'Aquin* et la *Madone avec l'enfant,* de Stefano di Giovanni, dit le Sassetta (1392-1450); enfin, les *miracles de saint Nicolas,* par Gentile da Fabriano (1360-1427).

Dans cette salle se trouve aussi le *Polyptyque Stefaneschi* de Giotto. Il provient de la basilique Saint-Pierre et représente le Christ sur un trône, entouré d'anges, et le martyre des apôtres Pierre et Paul. Se dégageant du style byzantin, l'artiste donne à ses sujets une facture plus vigoureuse et plus dramatique. Aux pieds de Jésus, le Cardinal Stefaneschi, donateur de l'œuvre. Au revers, saint Pierre sur un trône, ayant à ses côtés les apôtres Jacques et Jean.

La salle III est celle **des « Fra Angelico »** (Fra Giovanni da Fiesole, de l'ordre des Frères Prêcheurs: 1400-1455). S'offrent en effet à l'admiration les *Scènes de la vie de saint Nicolas de Bari* et la *Vierge avec l'Enfant entre saint Dominique et sainte Catherine,* deux belles œuvres de cet artiste. Toujours harmonieuses, les figures paraissent rayonner à travers la luminosité des couleurs où dominent le rouge et le bleu ciel.

Le *Couronnement de la Vierge,* par Filippo Lippi (1406-1469) et la célèbre *Madone à la ceinture,* par Benozzo Gozzoli (1420-1497).

La salle IV, dite **de « Melozzo da Forlì »** possède 14 fragments reportés sur toile de la grandiose fresque de l'*Ascension de*

Bienheureux Fra Angelico, scènes de la vie de saint Nicolas de Bari

Jésus, jadis dans l'abside de la basilique des Saints-Apôtres à Rome: œuvre de grand prix de ce peintre (1438-1494).

Les *Anges musiciens,* débris eux aussi d'une fresque de la même basilique, d'un dessin mouvementé et souple, sont célèbres pour la description des instruments de musique entre les mains des anges et la précision des détails.

Enfin, le tableau qui représente *Sixte IV nommant Bartolomeo Secchi, dit Platina, préfet de la Bibliothèque Vaticane,* toujours de Melozzo da Forlì, est une grande fresque reportée sur toile au temps de Léon XII (1823-1829). Platina, l'auteur des célèbres Vies des Papes, est agenouillé devant Sixte IV assis sur le trône pontifical. A droite du Pape, Raffaele Riario tient en main un rouleau, le parchemin de la nomination. Le cardinal qui est debout est le futur pape Jules II, neveu de Sixte IV.

Dans **les salles V et VI** sont rassemblées des œuvres mineures du Quattrocento (XVe siècle). Noter surtout les *Miracles de saint Vincent Ferrier,* par Francesco del Cossa (1435-1477), d'une intensité dramatique de grand effet qui sied à l'*Ange de l'Apocalypse,* surnom traditionnellement donné à ce Frère prêcheur.

Melozzo da Forlì, Sixte IV nomme Bartolomeo Secchi, dit le Platina, préfet de la Bibliothèque vaticane

Le polyptyque de la *Madone avec l'Enfant et des Saints,* par Vittore Crivelli, XVe siècle; *Saint Antoine abbé et d'autres Saints,* par Antonio Vivarini, est une œuvre de l'école de Murano (XVe siècle).

La **salle VII** est consacrée à l'école ombrienne du Quattrocento, à laquelle appartiennent Pietro Vannucci, dit le Pérugin (1445-1523), et le Pinturicchio.

La *Vierge au trône* est une composition typiquement pérugi-nesque: de couleurs très vives, elle est caractérisée par un parfait équilibre du dessin et l'harmonie particulière du modelé.

Du Pérugin également les petits tableaux qui représentent saint Benoît, saint Placide et sainte Flavie.

Du Pinturicchio (1454-1513), moins élégant mais d'un très bel effet, on possède ici le *Couronnement de la Vierge.*

Enfin, **la salle VIII,** ou **de « Raphaël »,** est en quelque sorte le sanctuaire de ce peintre. Là dominent de grands tableaux qui font ressortir les trois phases culminantes du développement de son génie: le *Couronnement de la Vierge,* la *Madone de Foligno,* la *Transfiguration.* Dans ce dernier tableau, la plus célèbre de ses œuvres, l'artiste est parvenu à exprimer l'atmosphère sur-

Raphaël, la Transfiguration

naturelle qui planait sur le Thabor quand Jésus fut transfiguré devant les trois apôtres Pierre, Jacques et Jean (partie supérieure de la composition), et à rendre l'atmosphère, fugitive et confuse, de la vie terrestre où les autres apôtres sont demeurés en discussion avec un possédé (partie basse).

Exécutées en Flandre d'après les cartons commandés à Raphaël par Léon X (1513-1521) pour orner les murs de la Chapelle Sixtine, les *Tapisseries* sont d'un grand intérêt artistique. Elles représentent la *Pêche miraculeuse* et divers épisodes des *Actes des Apôtres.*

Tapisserie exécutée sur dessin de Raphaël, la pêche miraculeuse

Léonard de Vinci, saint Jérôme

La **salle IX** est consacrée à Léonard de Vinci (1452-1519). On y remarque le *Saint Jérôme,* inachevé, mais qui est d'une étonnante vigueur, et par la lumière qui illumine le visage du saint docteur, et par son réalisme qui va bien au-delà de la pure objectivité visuelle.

La **salle X** contient des chefs-d'œuvre de la peinture vénitienne, qui trouva dans le Titien (Tiziano Vecellio, 1477-1576) sa plus géniale expression. Il est ici présent par sa *Madone de Saint-Nicolas des Frari.*

Sainte Hélène, par Paolo Caliari, dit Véronèse (1528-1588).

Saint Bernard, par Sebastiano del Piombo (1485-1547), œuvre remarquable aussi.

Le Titien,
Madone de san Nicolò
dei Frari

La **salle XI,** consacrée à **« La Renaissance tardive et aux débuts du baroque »,** contient la *Madone aux cerises,* par Barocci (1528-1612).

Le brescian Girolamo Muziano (1528-1590) s'affirme ici avec la *Résurrection de Lazare,* où transparaît la double influence de l'école lombarde et de l'école vénitienne.

On note en outre deux œuvres de réaction au maniérisme de la fin du Cinquecento (XVIe siècle): la *Trinité et le Christ mort,* par Annibale Carracci (1560-1609), et le *Sacrifice d'Abraham,* par Ludovico Carracci (1555-1619).

La **salle XII,** de forme octogonale, est très vaste et groupe des artistes de renom du Seicento (XVIIe siècle). Premier entre

Le Caravage,
la descente de croix

tous, Domenico Zampieri, dit le Dominiquin (1581-1641), avec son œuvre célèbre: la *Communion de saint Jérôme.* De Guido Reni (1575-1642), qui appartient à la même école: le *Crucifiement de saint Pierre* et la *Vierge dans la gloire avec saint Thomas et saint Jérôme.* Dans la même salle, on voit aussi la *Mise au tombeau,* de Michelangelo Amerighi, dit le Caravage (1569?-1610).

Les **salles XIII et XIV,** dites **des « Seicento et Settecento »,** offrent une variété de toiles dues à des artistes flamands, français, italiens, hollandais, allemands. Citons entre autres un grand *Saint François Xavier,* par Antonio Van Dyck (1599-1641), le *Triomphe de Mars,* par Paul Rubens (1577-1640), et la *Fortune,* par Guido Reni.

La **salle XV** est celle des **« portraits »**. Le plus célèbre est celui du *Doge Niccolò Marcello,* par le Titien (1477-1576). Citons aussi celui de *Clément IX Rospigliosi,* par Carlo Maratta, bel exemple de la facture du XVIIe siècle; le *Portrait du cardinal Lambertini* (futur Benoît XIV, 1740-1758), par Giuseppe Maria Crespi (1665-1747).

Suivent **trois** autres **salles** où sont rassemblées des œuvres contemporaines offertes à la Pinacothèque, soit par leurs auteurs, soit par des collectionneurs privés.

Le Musée grégorien profane

Le Musée grégorien profane rassemble les œuvres d'art qui se trouvaient dans l'ancien Musée du Latran, fondé par Grégoire XVI (1831-1846) et inauguré par ce Pape le 14-5-1844 dans le palais du Latran.

Par décision de Jean XXIII (1958-1963), ce Musée fut transféré au Vatican et reconstitué dans de nouveaux locaux. Réouvert au public en 1970, il rassemble le matériel provenant en général de découvertes effectuées dans l'ancien Etat pontifical. Il s'agit surtout d'antiques, pour la plupart des copies de modèles grecs de la période classique, et de quelques originaux romains de la fin de la République à l'époque impériale. On y trouve aussi de nombreux autels funéraires et des sarcophages, ainsi que des mosaïques provenant des deux grands exèdres des Thermes de Caracalla, où figurent des gladiateurs et des arbitres. A signaler aussi une riche collection d'épigraphes.

A droite de la grille d'entrée, buste en marbre de Grégoire XVI, fondateur du Musée. A côté, buste de Pie IX (1846-1878), fondateur du Musée chrétien qui fait suite au Musée profane.

La pièce maîtresse de la première section est une réplique en marbre du célèbre groupe en bronze *Athéna et Marsyas:* l'original, attribué à Myron d'Eleuthère (450 avant J.-C.) et qui est perdu, se trouvait placé sur l'Acropole d'Athènes. Pline (60 après J.-C.) et Pausanias (150 après J.-C.) en parlent. Farouche et sauvage, Marsyas, attiré par le son de la double flûte, s'avance

Statue de Marsyas (détail)

en dansant pour s'emparer de l'instrument qu'Athéna a abandonné; mais la déesse le lui interdit, d'un geste impérieux.

Un peu plus loin, statue de *Sophocle* (496-406 avant J.-C.), le célèbre poète tragique grec. Un fait donne à cette œuvre, trouvée à Terracina en 1839, une valeur toute spéciale: c'est pour lui affecter une place digne d'elle que Grégoire XVI fonda le Musée. Le poète est représenté dans toute la vigueur de ses meilleures années, majestueusement drapé, le regard intense. Il s'agit d'une réplique en marbre de l'original en bronze, dédié probablement par Lycurgue (340 avant J.-C.) et placé dans le théâtre de Dionysios à Athènes.

Le fragment de *pavement en mosaïque* de la salle adjacente

Statue de la fille de Niobé

fut retrouvé à Rome en 1833, au sud de l'Aventin. Des masques sont figurés sur un côté. Les autres représentent, éparpillés sur un fond blanc, les restes d'un somptueux banquet. Le thème du « pavement non balayé » de la salle à manger est généralement désigné du terme grec « asàtoron ». Le motif est d'origine hellénistique. Pline raconte (Hist. Nat., 36, 14) que l'invention de cette décoration en mosaïque était attribuée à Sozos de Pergame. L'auteur de notre mosaïque est un certain Héraclite, qui a signé son nom en lettres grecques sous la frise. Son œuvre peut être datée de l'époque d'Hadrien, aux alentours de 130 avant J. C.

La statue colossale de *Neptune* (Poséidon) le représente debout, le pied droit sur la proue d'un navire et s'appuyant sur un énorme dauphin. Le visage du dieu de la mer, encadré d'une abondante chevelure, reflète une grande dignité. L'original de l'œuvre, probablement en bronze, se voit sur des monnaies d'argent hellénistiques et on pense qu'il est du IVe siècle avant J.-C. Le dauphin est une ajoute personnelle du copiste.

On accordera une attention particulière à la frise représentant Médée et les Péliades, copie néo-attique du Ier siècle après J. C. d'un original grec de la fin du Ve siècle avant J. C. La magicienne Médée et les deux filles de Pélias préparent l'assassinat de leur père.

Suivent quelques vigoureux *torses d'hommes,* répliques de dieux ou de héros grecs, de l'époque impériale romaine. On remarquera notamment la statue de la *fille de Niobé,* qui cherche à éviter les flèches vengeresses des dieux en se protégeant d'un manteau agité par le vent: œuvre d'un artiste néo-attique du Ier siècle avant J.-C.

La collection de sculptures romaines s'ouvre ici avec les *portraits* de plusieurs *Césars* et *Augustes* dont Tibère et Claude.

Le *Cortège de Magistrats,* relief de l'*autel des Vicomagistri* trouvé en 1937-1939 dans l'actuel palais de la Chancellerie apostolique (antique Campo Marzio), représente une procession sacrificielle formée de consuls, licteurs, sonneurs de trompette, victimes et jeunes servants. C'est une œuvre de l'époque de l'empereur Claude (40 après J.-C.).

Bas-relief de l'autel des Vicomagistri

Plus loin, *urnes et autels funéraires* du Ier siècle après J.-C. et suivants, ainsi que de *monumentaux reliefs* historiques, tels l'arrivée de Vespasien à Rome, accueilli par son fils Domitien, le sénat et le peuple. La déesse Rome, entourée de vestales, trône à la gauche de l'empereur.

A peu de distance, une autre frise représente le *départ de Domitien* (dont le visage devait par la suite prendre les traits de Nerva), entouré de divinités et suivi de soldats avec leur chef.

D'excellente facture, les reliefs du pilastre dit « des roses »: des rosiers grimpent autour d'un candélabre tandis qu'au sommet deux oiseaux en becquètent les boutons. L'œuvre remonte à 120 après J.-C. environ.

Les *sarcophages* ornés de figures mythologiques (Héraklès, Adonis et Aphrodite, Phèdre et Hippolyte, Mars et Rhéa Silvia, Séléné et Endymion) portent parfois les traits des défunts pour signifier le désir d'une continuation de cette vie dans une autre vie d'outre-tombe.

Un grand sarcophage retiendra l'attention: sur le panneau de face, un *philosophe inconnu,* assis sur une cathèdre, le regard méditatif, est entouré de deux figures féminines, dont les traits semblent indiquer des portraits pendant que leur attitude correspond à celle attribuée iconographiquement aux Muses. On pense pouvoir reconnaître en lui le néo-platonicien Plotin (mort en 270 après J.-C.).

Un autre sarcophage est très original: il représente la *culture et le travail du grain.* Le relief est divisé en deux parties: dans la première, un paysan conduit sa charrue tirée par une paire

Partie centrale du sarcophage de Valérien: la culture et le travail du grain

de bœufs; un autre paysan moissonne. Dans la seconde partie, un char emporte le grain au moulin, et deux paysans tournent la meule. En arrière-plan, le four où cuira le pain. Au centre, un personnage portant toge et rouleau est le portrait du défunt, dont le nom est inscrit sur le couvercle. Un distique latin, répétition d'un épigramme grec, dit que le défunt prend congé de l'Espérance et de la Fortune, avec lesquelles il n'aura plus désormais aucun commerce, et qu'elles peuvent se railler des autres hommes: tragique ironie de l'antique conception païenne touchant la destinée de l'homme, bien différente de celle du message évangélique.

Le Musée Pio-chrétien

Le musée Pio-chrétien fut fondé en 1854 par Pie IX qui en confia le soin au P. G. Marchi, s.j., pour les éléments architecturaux, les sculptures et les mosaïques, et à Jean-Baptiste De Rossi pour la collection épigraphique.

Parmi les pièces architecturales, une série de cancels de marbre provient de basiliques; parmi les sculptures, la première place revient à la collection de sarcophages chrétiens, entiers ou partiels, qui est la plus riche de toutes aussi bien par le nombre que par les scènes représentées. Datant du IIIe au Ve siècle après J. C., elle est classée par groupes de sujets.

La série des sarcophages s'ouvre par les représentations de la naissance du Christ et l'Epiphanie, remontant au IVe siècle. Elle est précédée par un fragment de l'épitaphe de Publius Sulpicius Quirinus, mentionné par l'évangile de saint Luc (2, 1-7) comme gouverneur de la Syrie.

En face, on remarquera le sarcophage avec le *Passage de la Mer Rouge.*

Le grand sarcophage dit *Théologique,* à cause des sujets représentés, fut extrait des fondations du baldaquin de la basilique Saint-Paul hors les murs en 1838. Il comprend deux zones: dans celle du haut, à partir de la gauche, la Trinité crée l'homme et la femme; le Christ présente à Adam une gerbe d'épis, pour signifier le travail que celui-ci devra affronter à cause de sa rébellion, tandis qu'à Eve il offre une brebis, signe de la nécessité pour l'homme, en suite du péché, de se procurer nourriture et vêtement. Derrière la femme, l'arbre de la science du bien et du mal, avec le serpent enroulé autour. Soutenu par deux génies ailés, le médaillon central présente l'ébauche des portraits des époux propriétaires du sarcophage. Ensuite, le Christ qui accomplit le miracle des noces de Cana, touchant avec son bâton les vases contenant l'eau changée en vin; puis le Christ qui multiplie les pains et les poissons; enfin la scène mutilée de la résurrection de Lazare. Dans la zone inférieure, toujours à partir de la gauche: la Vierge, assise sur une cathèdre avec l'Enfant sur les genoux reçoit les dons des Mages, qui sont coiffés d'un bonnet phrygien; le premier indique du doigt l'étoile qui les a conduits. Ensuite, le Christ guérit l'aveugle-né; après, Daniel entre les lions, avec le prophète Habacuc qui lui présente un pain, est suivi par le Christ qui annonce à Pierre son triple reniement; enfin l'arrestation de Pierre et le miracle de la fontaine. Ce sarcophage est du milieu du IVe siècle.

Sarcophage dit « théologique »

Il faut signaler aussi la belle reproduction d'un sarcophage qui se trouve dans la basilique Saint-Ambroise à Milan. Il est sculpté sur toutes ses faces et aussi sur le couvercle qui est en forme de toit à deux versants.

Remarquable aussi est la figure du *Bon Pasteur*, qui a subi d'importantes restaurations. La tête tournée vers la droite de qui le regarde, un jeune pasteur aux longs cheveux bouclés porte sur ses épaules la brebis retrouvée. Cette statue rarissime ne semble pas être, du point de vue iconographique, une invention chrétienne: depuis le VIIe siècle avant J. C. la représentation du pasteur portant une brebis sur ses épaules était fréquente en milieu païen. Mais la signification du thème, dans un nouveau contexte, est radicalement changée: pour les païens, c'est la figuration d'un dévot portant son offrande aux dieux; alors que cette statue figure incontestablement le Bon Pasteur dont parle la parabole évangélique.

Une représentation analogue du Bon Pasteur se retrouve sur un sarcophage découvert en 1881 sur la via Salaria, auprès du mausolée de Licinius Poetus, en face de la villa Albani.

Trois figures pastorales sont aussi reproduites sur un sarcophage retrouvé dans l'area supérieure du cimetière de Prétextat, près de la voie Appia Antica; il est orné sur les côtés de scènes des quatre saisons et au revers de décorations à transennes.

Le panneau de face d'un sarcophage provenant de la basilique Saint-Laurent hors les Murs est particulièrement intéressant. Il porte en son centre le Bon Pasteur sous forme d'un jeune homme imberbe et nimbé, le bâton pastoral dans la main gauche, entouré des douze apôtres portant la tunique et le pallium; devant eux, au premier plan, douze brebis symbolisent le troupeau du Christ (IVe siècle).

Cependant, plus ancienne que toutes les statues et tous les sarcophages représentant le Bon Pasteur est la stèle comportant une partie du poème funèbre appelé *épitaphe d'Abercius*, évêque de Géropolis, appelée par G. B. De Rossi « la reine des inscriptions chrétiennes ». Le poème se compose de 22 hexamètres, tous gravés sur la face principale de la stèle, comme dans le cippe d'Alexandrie, daté de l'année 216, qui dépend d'elle.

Statue du Bon Pasteur

Dicté par le même Abercius pour sa propre tombe, entre 170 et 200, ce texte dit:

« Citoyen d'une ville distinguée, j'ai fait ce monument de mon vivant, afin d'y avoir un jour une place pour mon corps. Je me nomme Abercius; je suis disciple du chaste pasteur, qui fait paître ses troupeaux de brebis sur les montagnes et dans les plaines, qui a de grands yeux dont le regard atteint partout. C'est lui qui m'a enseigné les écritures dignes de foi. C'est lui qui

m'envoya à Rome contempler la majesté souveraine, et voir une reine aux vêtements d'or et aux sandales d'or. Je vis là un peuple qui porte un sceau étincelant. J'ai visité aussi la plaine de Syrie et toutes les villes, Nisibe au-delà de l'Euphrate. Partout j'ai trouvé des compagnons. J'avais Paul avec moi... la foi me conduisait partout. Partout elle m'a servi en nourriture un poisson de source, très grand, très pur, pêché par une vierge sainte. Elle le donnait sans cesse à manger aux amis; elle possède un vin excellent qu'elle donne avec le pain. J'ai fait écrire ces choses, moi Abercius, à l'âge de soixante-douze ans. Que celui qui les comprend et pense comme moi prie pour Abercius. Mais que personne ne mette quelqu'un d'autre dans mon sépulcre sous peine d'amende, deux mille pièces d'or pour le fisc romain, mille pour ma chère patrie Hiéropolis ».

Devant de sarcophage:
le Christ entouré des douze apôtres et de brebis
(détail)

Près de la stèle d'Abercius a été placé un moulage de l'inscription grecque de Pectorius, retrouvée en 1839 dans un tombeau collectif à Saint-Pierre l'Estrier près d'Autun (Saône-et-Loire). Comme la précédente, cette inscription est très importante à cause de son contenu où il est fait allusion entre autre au baptême, à l'Eucharistie et où on demande les prières des vivants pour l'âme du défunt.

Le musée comprend aussi une petite collection de mosaïques.

La collection épigraphique, unique en son genre par le nombre et l'importance de ses pièces a été classée par G. B. De Rossi en XXIV sections. Les quinze suivantes sont déjà présentées au public: I-II, les monuments cultuels publics; III, les inscriptions du pape Damase (366-384), avec les éloges des martyrs; IV-VII, inscriptions tombales chrétiennes datées avec certitude (avec les noms des consuls jusqu'à l'année 565 après J. C.); VIII-IX, inscriptions caractéristiques se rapportant au dogme chrétien; X, inscriptions funéraires de papes, prêtres, diacres et autres ministres de l'Eglise; XI, inscriptions de vierges, veuves, fidèles, pèlerins, néophytes et catéchumènes; XII, hommes et femmes illustres, soldats, fonctions diverses, artisans; XIII, inscriptions se rapportant aux parents, à la famille, à la nation et à la patrie; XIV-XV, inscriptions d'images, symboles et thèmes dogmatiques.

Le Musée ethnologique missionnaire

Créé par le pape Pie XI en 1926, le Musée ethnologique missionnaire avait été installé dans le palais du Latran.

L'aménagement scientifique et technique fut confié au Père Julien Schmidt, SVD, ethnologue bien connu, secondé par deux assistants, les pères Michel Schulien, SVD, et Pancrace Maarshalkerweerd, OFM. Le 21 décembre 1927, le Musée était solennellement inauguré.

Comme noyau de base, quelque 40.000 collections ou objets provenant de l'Exposition missionnaire de l'Année Sainte de 1925. Le tout avait été généreusement offert au Saint-Père par 185 vicariats apostoliques, 71 préfectures apostoliques, 78 missions, 74 archidiocèses, diocèses et prélatures *nullius*, avec le concours de 163 ordres et instituts missionnaires, 13 communautés religieuses indigènes, de nombreuses sociétés scientifiques et des particuliers. Ainsi, y figuraient pratiquement des objets de toutes les contrées du monde où les missions catholiques déploient leur activité. L exposition de ce patrimoine, disposé selon des critères géographiques, offrait déjà en soi un merveilleux panorama de la vie et des activités tellement variées des populations extraeuropéennes dans le champ économique, social, artistique, comme dans celui de la magie et de la multiplicité de leurs croyances.

A ce noyau de base vinrent s'ajouter, dès avant l'inauguration, d'autres objets et collections. La première donation est venue, par disposition du Pape, des magasins mêmes des Musées du Vatican. Une autre provint de la Congrégation De Propaganda Fide, qui céda au Musée ethnologique ce qui restait des collections du fameux Musée Borgia. De plus le Pape accorda l'autorisation d'acquérir d'autres trésors de l'art indien.

Par ailleurs les dons continuèrent, après l'inauguration du Musée, à affluer du monde entier: offerts au Saint-Père, ils étaient par lui destinés au Musée. Le rythme ne prit fin qu'avec la Seconde Guerre mondiale et ce ne sera que longtemps après que fut faite une nouvelle donation, une précieuse collection de tapis persans, de l'Afghanistan et de Boukhara, rassemblée sur place entre les deux guerres par un consul d'Italie; sa veuve en fit don à Jean XXIII.

Le 1er février 1963 le Musée fut fermé au public, le Pape ayant ordonné son transfert au palais de S. Calixte. Au cours des années suivantes un nouvel édifice fut construit à côté des Musées vaticans pour accueillir ceux du Latran. En 1969-1970 tout le matériel du Musée ethnologique missionnaire fut transféré à son nouveau siège au Vatican.

Le Musée est divisé en deux sections, dites respectivement: **Itinéraire principal** et **Itinéraire secondaire.** Destiné au grand public, l'Itinéraire principal conduit aux objets qui illustrent l'histoire des religions en chaque contrée extraeuropéenne et les cultures religieuses respectives. L'Itinéraire secondaire, plus spécialisé et plutôt réservé aux chercheurs, est celui des collections ethnographiques.

L'**Itinéraire principal** se développe sur quelque 700 mètres et compte 25 sections. Chacune embrasse une nation ou une zone culturelle du monde extraeuropéen et illustre l'évolution historique de ses formes religieuses. Nous en donnons ci-après la liste en indiquant les diverses formes religieuses existant dans ces divers pays et quelques détails sur les objets exposés:

1. *Chine:* culte du Ciel, culte des morts, culte des ancêtres, taoïsme, confucianisme, Islam, christianisme.
2. *Japon:* shintoïsme, bouddhisme, christianisme.
3. *Corée:* toute la collection coréenne du Musée est exposée dans cette section.
4. *Tibet-Mongolie:* religion Bon-pö, lamaïsme.
5. *Indochine:* culte des morts, culte des ancêtres, bouddhisme, christianisme.
6. *Sous-continent indien:* cultes primitifs de Civa, de Vichnou, instruments cultuels, cultes mêlés, bouddhisme, Islam, christianisme.
7. *Indonésie-Philippines:* cultes primitifs, cultes supérieurs, Wayang, hindouisme, Islam, christianisme.
8. *Polynésie:* culte des morts, ancêtres et divinités, instruments cultuels, christianisme.
9. *Mélanésie:* culte des morts, ancêtres et divinités, masques et instruments cultuels, cabane des esprits, christianisme.

10. *Australie:* culte des morts, totémisme, instruments cultuels.
11. *Afrique du Nord:* religion égyptienne, christianisme, Islam.
12. *Ethiopie:* cultes primitifs, christianisme copte.
13. *Madagascar:* culte des morts, culte des ancêtres, magie.
14. *Afrique Occidentale:* Panthéon du Dahomey, culte des morts, culte des ancêtres, divinités, masques cultuels, magie.
15. *Afrique Centrale:* ancêtres et divinités, masques cultuels, magie.
16. *Afrique Orientale:* culte des ancêtres, objets cultuels et masques, magie.
17. *Afrique du Sud:* culte des ancêtres, masques cultuels, magie.
18. *Christianisme africain:* crèche congolaise, statues de la Vierge, sculptures variées chrétiennes africaines.
19. *Amérique du Sud:* cultes primitifs, masques cultuels, cultes supérieurs.
20. *Amérique Centrale:* cultes primitifs, cultes supérieurs.
21. *Christianisme américain:* voir entre autres le pupitre du chapelain de Christophe Colomb.
22. *Amérique du Nord:* masques cultuels, collection des sculptures de Pettrich.
23. *Perse:* faïences persanes, dont certaines portent des inscriptions coraniques.
24. *Proche-Orient:* religions babyloniennes, religion hellénique-romaine, religion juive, christianisme, Islam.
25. *Synthèse missionnaire:* artisanat sacré, peinture chrétienne, architecture.

En tout, 3.000 objets environ sont exposés le long de l'Itinéraire principal, mais ils ne constituent que 7 à 8% du matériel que renferme le Musée. Le reste des collections sera exposé dans les sections respectives de l'Itinéraire secondaire.

Enfin une collection préhistorique vient compléter ce Musée. Son matériel provient de la France, de la Palestine, de l'Afrique du Nord et de la Mongolie.

Musée historique

Le « Musée historique », créé sur l'ordre du Pape Paul VI et organisé en 1973, se divise en deux sections. La première comprend une collection de carosses ayant appartenu à des Souverains Pontifes ou à des cardinaux. La seconde expose des objets et des souvenirs des corps armés pontificaux dissous et de l'ancienne armée pontificale, ainsi que diverses pièces d'armes autrefois conservées dans le Palais apostolique. Dans le vestibule, se trouve un buste de Sa Sainteté Paul VI, et le long des murs de la salle sont disposés les bustes en marbre des papes qui utilisèrent les moyens de transport conservés dans le musée.

Dans le premier secteur sont placés aussi les harnais de grand et moyen gala, les selles et les harnachements, coussins, sacs de voyage, timons et traits. Les murs sont garnis de tableaux représentant des cérémonies religieuses et des voyages accomplis par les Papes avec les moyens de transport de différentes époques: cheval, auto, train, avion.

Dans la seconde partie du musée on trouve, exposés dans des vitrines, d'intéressants uniformes et souvenirs militaires parmi les quels il faut signaler: l'armure dite « da giostra », qu'on peut dater de la seconde moitié du XVIe siècle; l'armure des « Gardes du Pape »; des mannequins revêtus des uniformes du Corps de la Garde noble pontificale et du Corps de la gendarmerie appelé des « carabiniers pontificaux »; des uniformes de la Garde d'honneur palatine; de l'armée de l'Etat du Vatican. Dans cette section, on a aussi placé des heaumes, bassinets, morions, bourguignottes, armes blanches, couleuvrines et armes à feu, ainsi que des étendards et des blasons pontificaux.

La collection d'art religieux moderne

La collection d'art religieux moderne forme le nouvel ensemble de peintures, de sculptures et de dessins présenté dans le Musée du Vatican. Constituée par les dons d'artistes ou de collectionneurs contemporains, elle est le témoignage le plus direct de la « capacité prodigieuse d'exprimer, outre l'humanisme authentique, le religieux, le divin, le chrétien ». Par ces paroles, Paul VI a inauguré, le 23 juin 1973, les quelque 800 œuvres, signées de 250 artistes et réparties à travers une cinquantaine de salles disposées sur plusieurs étages.

L'itinéraire de la visite commence à l'appartement Borgia, réouvert après la restauration des fresques de Pinturicchio et de ses disciples. Aux toiles de Rosai, Sironi, du littérateur Soffici et aux bronzes de Minguzzi et de Messina, qui occupent une salle entière, font suite le « Penseur » de Rodin, les sereins « Moines lisant » de Barlach et les dessins pleins de douceur du dernier Matisse pour la chapelle de Vence. Le sobre portrait d'Alexandre VI, chef-d'œuvre du Pinturicchio, le voûtes de Jean d'Udine et de Perin del Vaga (XVIe siècle), les plafonds dorés des salles suivantes, servent de fond aux panneaux de bronze exécutés par Fontana et Greco pour les portes des cathédrales de Milan et d'Orvieto, aux scènes de la Passion des toiles de Previati et de Sassu, et aux œuvres des fondateurs de l'art religieux moderne en France: Denis, Desvallières et le Père Couturier.

Giacomo Manzù, Chapelle de la Paix

Un escalier dérobé conduit à la Chapelle de la Paix, de Manzù, dont les pièces originales uniques constituent un fervent hommage de l'artiste à Jean XXIII et à Paul VI. La salle contiguë de Rouault, consacrée aux puissantes gravures du « Miserere » et aux interprétations passionnées de la « Sainte Face », commence la suite de petites salles qui rassemblent les œuvres des français Utrillo, Gauguin, Chagall, Redon, Braque, des allemands Klee, Kandinsky et Dix, des anglais Moore, Sutherland ainsi qu'une série suggestive des italiens Cagli, Morandi, Carrà, De Pisis, De Chirico et aussi Campigli, Levi, Casorati et Spazzapan.

Georges Rouault, « Ecce Homo »

Une sculpture originale en bois, d'Arturo Martini, le « Bon Pasteur », et des céramiques de Biancini, ferment la série des petites salles Borgia, qui complètent l'appartement papal.

A l'étage inférieur, de grands vitraux de Léger, Villon et Meistermann introduisent aux locaux vastes et suggestifs situés sous la Salle Royale de Paul III Farnèse et la Sixtine, la chapelle de Sixte IV. On y voit « Le Miracle », de Marini, « St Martin », de Mirko, des détrempes et des aquarelles de Ben Shahn et de Feininger, des œuvres de Schmidt-Rottluff, Kirchner, Nolde; des salles consacrées à Conti, Severini, aux naïfs yougoslaves, aux espagnols Dali, Ortega, Villasenor; des céramiques de Picasso, des huiles de Ensor, Bacon, Hartung et des mexicains Siqueiros et Orozco. De grandes toiles de Manessier, Capogrossi, Hantaj ainsi que des tapisseries de Bazaine et de Zack achèvent la collection.

Basilique vaticane: saint Pierre, statue en bronze par Arnolfo di Cambio

Basilique Saint-Pierre, Autel de la confession:
statue de Pie VI, œuvre de Canova

Basilique Saint-Pierre: Pie XII, statue en bronze, par Francesco Messina

Basilique Saint-Pierre: monument funéraire de Clément XIII, par Canova

La Chaire dite de saint Pierre, ancien siège royal de Charles le Chauve, donné au Souverain Pontife vers l'an 875

Rome: façade de la basilique Saint-Clément

Rome: façade de l'église du Gesù

*Rome: extérieur de l'église Sainte-Agnès in Agone
et fontaine du Bernin, sur la place Navone*

Rome: amphithéâtre Flavien (Colisée), 70-80 après J. C.

Rome: église des saints Jean et Paul, sur le Célius

Rome. Eglise Saint-Pierre aux liens: Moïse, statue sculptée par Michel-Ange pour le tombeau monumental du pape Jules II

Rome: église Saint-Joseph des menuisiers au-dessus de la Prison Mamertine

Rome: extérieur de la basilique Sainte-Marie du Transtévère

Rome: palais de l'Académie ecclésiastique pontificale.
Au second plan, vue partielle du Panthéon

Rome: église Sainte-Marie de l'Ara Coeli et Palais du Capitole

Rome: palais du Latran, construit par Sixte V

Rome: l'Université pontificale du Latran

Rome: façade de l'Université pontificale grégorienne

Rome: Université pontificale Saint-Urbain

Chapelle de Nicolas V, dans les Musées du Vatican:
saint Laurent reçoit lê diaconat des mains du pape Sixte II
(représenté sous les traits de Nicolas V), par le bienheureux Fra Angelico

TABLE DES MATIERES

Chapitre IV

Ont collaboré à la réalisation
des illustrations photographiques:

Alinari
Cer. Co. Mi.
Del Priore Bruno
Giordani
Musei Vaticani
Onofri Mario
Pontificia Commissione Archeologia Sacra
Saleri Carlo
Scala
Spina Tony
Zuppi Enrico

TYPOGRAPHIE POLYGLOTTE VATICANE